Será que ele me ama?

Um neurocientista decifra o cérebro emocional canino

Tradução:
Nathalia Ferrante

Gregory Berns

Amendoim
Apollo
Bento

Cacau Vitória
Chalhubinha
Chapolin

Chaves
Cléo
Eudora

Frederico
Frida Catarina
Harry potter

Ivi
Jolie
Jorge

Layka
Lisa
Lobo

Título original: **How Dogs Love Us**
Copyright © 2013 by Talking Dogs LLC
1ª edição: Agosto 2020
Direitos reservados desta edição: CDG Edições e Publicações

O conteúdo desta obra é de total responsabilidade do autor
e não reflete necessariamente a opinião da editora.

Autor:
Gregory Berns

Tradução:
Nathalia Ferrante

Preparação de texto:
Pamela Oliveira

Revisão:
3GB Consulting

Projeto gráfico:
Jéssica Wendy

DADOS INTERNACIONAIS DE CATALOGAÇÃO NA PUBLICAÇÃO (CIP)

B531s   Berns, Gregory
    Será que ele me ama?: um neurocientista decifra o
cérebro emocional canino / Gregory Berns; tradução de Nathalia
Ferrante. – Porto Alegre: Citadel, 2020.

    256 p. ; 23 cm.

    ISBN: 978-65-5047-054-8

    1. Animais de Estimação. 2. Cães — Psicologia. 3. Neurociência —
Cães. 4. Emoções em Animais. I. Gregory Berns. II. Título.

CDD 636.7

Ficha catalográfica elaborada pela bibliotecária
Cíntia Borges Greff - CRB 10/1437

Produção editorial e distribuição:

contato@citadel.com.br
www.citadel.com.br

PARA LYRA

Sumário

Prefácio, por Vanessa Mesquita 09
Prólogo: Ensaio geral 15
1. Dia dos Mortos 21
2. Como é ser um cachorro 32
3. Uma expedição de pesca 39
4. Passinhos de cachorrinho 48
5. O dilema do *scanner* 58
6. Cães ressonantes 64
7. Os advogados se envolvem 71
8. O simulador 82
9. Treinamento básico 89
10. O substituto 101
11. A cenoura ou a vara? 111
12. Cães no trabalho 118
13. A aliança de casamento perdida 127
14. Grandes perguntas 137
15. Dia de cão à tarde 145
16. Um novo mundo 161
17. Ervilhas e cachorros-quentes 169
18. Pelos olhos de um cão 178
19. Eureca! 188
20. Será que meu cachorro me ama? 195
21. Que cheiro é esse? 203
22. Primeiro amigo 213
23. Lyra 222
24. O que os cães realmente pensam 231
Epílogo 239
Agradecimentos 245
Notas 247
Instituto de Apoio e Defesa Animal Vanessa Mesquita (Pet Van) 253

PREFÁCIO, POR VANESSA MESQUITA

Pegar açúcar da cozinha para alimentar as formigas, preparar os cachorros para dormir com as bonecas e brincar de professora enquanto ensinava matemática para os pets da casa. Essa era eu na infância. Nunca saberei como surgiu minha paixão pelos animais. Ela já nasceu comigo. Sentimentos simplesmente acontecem e minha relação com os bichinhos foi natural como aprender a andar, falar, ler e escrever.

Tive e tenho muitos animais de estimação. Muitos mesmo! Mas Jack, conhecido como boi por seu porte físico enorme, era um pit bull apaixonante. Resgatei-o ferido, desnutrido, machucado e desolado emocionalmente. Cuidei dele por meses. No fim das contas, não consegui doá-lo. Fomos almas gêmeas, meu melhor amigo por muito tempo – provavelmente o maior amigo que tive até hoje. Quando fiquei confinada no reality show (Big Brother Brasil) por três meses, Jack dormia sozinho em cima da minha roupa. Minha mãe tinha que estimular o apetite dele para não ficar sem comer. Foi uma fase difícil para ambos, principalmente porque meu amigo enfrentava um câncer que, até então, estava controlado, mas com minha ausência se agravou um pouco.

Quando retomei ao meu lar ficamos por anos juntos, fomos muito felizes e agora éramos um trio: Jack, eu e Thor, um vira lata fantástico que serviu muito de companhia para o Jack, já que minha vida ficou muito agitada e os períodos de ausência aumentaram.

Em um dia não muito caloroso, Thor passou para o outro lado do arco íris. Seus longos vinte anos de idade estavam pesados demais. Foi uma vida feliz, intensa e carregada de amor, mas curta como é a passagem desses maravilhosos seres de luz por esse mundo. Jack havia convivido e lutado contra seu câncer por muito tempo. Seguiu seu companheiro poucas semanas depois. Os dois me ensinaram tudo sobre fidelidade e companheirismo. Com eles nasceu o meu lema:

SEJA QUEM O SEU CACHORRO ACREDITA QUE VOCÊ É.

Essa é a minha filosofia de vida, afinal eles pensam que somos as melhores pessoas do mundo. Com a partida deles, em mim ficou um grande sentimento de tristeza, amor e esperança, mas principalmente a certeza de que a minha vida deveria ser dedicada ao cuidado animal, ao combate aos maus tratos e ao bem-estar dos verdadeiros responsáveis pela existência de nosso planeta.

Costumo dizer que hoje resgato animais abandonados porque eles me resgataram antes. Qualquer animal com histórico de maus tratos demonstra efusiva ou nitidamente sentimentos de gratidão quando cuidados. A mudança de comportamento é muito rápida, mesmo naqueles que trazem consigo traumas psicológicos. E todos os dias vemos as mais brutais situações, coisas que você nem deveria imaginar. É um processo árduo, mas o amor cura mais do que qualquer medicamento. Aos poucos a confiança é depositada em nós e as feridas vão sendo deixadas para trás. É gratificante devolver a felicidade a um ser tão carregado de pureza.

Leis mais rigorosas, que protejam os animais de maus tratos e políticas públicas que garantam os seus direitos são urgentes e essa é uma de nossas lutas e de muitas outras pessoas engajadas com a causa. Animais grandes foram escravizados por anos em circos, fazendas e muitos outros estabelecimentos. Cavalos, por exemplo, até hoje em dia servem como transporte, fazendo trabalho pesado, puxando carroças e, o pior de tudo, em condições de abandono, sem cuidados e levando uma vida de sofrimento. Como se não bastasse, após anos de abuso são abandonados doentes e sozinhos e a maioria morre sem cuidado algum. Precisamos entender que os animais são seres sencientes e cabe a nós cuidar e zelar por nosso planeta.

Mas assim como existe muita crueldade, também há inúmeras histórias de pessoas legais no Brasil e no mundo que ajudam os animais. O bem sempre vence o mal, podem acreditar. Cada vez mais, com a ajuda e o engajamento social que existem na internet, a sociedade se conscientiza sobre o que são os maus tratos aos animais e como podemos resolver o problema todos juntos. Eu tenho um grande público juvenil que se espelha em mim e que sonha estudar medicina veterinária. Isso me deixa muito orgulhosa e claro que com uma responsabilidade de impactar positivamente. Tudo isso me inspira a me tornar alguém cada vez melhor.

Espero que com essa leitura você, assim como eu, possa entender melhor tudo o que se passa na mente do seu grande amigo. Aqui é possível entender um pouco sobre o comportamento animal e explicar as mudanças psicológicas possíveis a partir do convívio com os bichos. Basicamente, relata aquilo que vejo na prática todos os dias. Leia, releia, presenteie e divulgue. A minha esperança é que para cada animal abandonado exista um ser humano com amor suficiente para resgatá-lo. Esse é o meu objetivo de vida, é para isso que existo e farei isso enquanto eu viver. Boa leitura!

Quando o homem acordou, disse:
"O que o Cachorro Selvagem está fazendo aqui?".
E a mulher disse: "O nome dele não é mais
Cachorro Selvagem, mas Primeiro Amigo,
porque ele será nosso amigo para o todo e sempre.
Leve-o com você quando for caçar".

(RUDYARD KIPLING, *HISTÓRIAS ASSIM*)

PRÓLOGO

Ensaio geral

UNIVERSIDADE EMORY, ATLANTA, GEÓRGIA
JANEIRO DE 2012

Callie dançava pelo laboratório. Zunindo de pessoa em pessoa, a pequena *village dog* preta com a energia de um foguete sabia que todos os meses de treinamento a haviam levado àquele momento. Seus olhos faiscavam vivazes e seu rabo de rato balançava de um lado para o outro com tamanha intensidade que sua cabeça se movia na direção oposta. Ela estava pronta.

— Vamos lá com isso!

A excitação de Callie era contagiante. Todos no laboratório queriam ver o experimento que estávamos prestes a realizar, principalmente porque ninguém achava que fosse dar certo. Poderíamos realmente escanear o cérebro de um cachorro para descobrir o que ele estava pensando? Encontraríamos provas de que os cães nos amam?

Com a equipe montada e faltando dez minutos para a hora da ressonância, fomos para o hospital. Cães não eram permitidos no *campus*, é claro, mas lá estava uma cachorra muito especial marchando pelo pátio com uma dúzia de humanos em seu séquito. Eu carregava a mochila cheia de agrados e suprimentos, Andrew carregava o computador que gravaria o experimento e Mark arrastava a escada de plástico com que Callie subiria na máquina de ressonância – ela teria de fazer isso sozinha. O restante vinha atrás tirando fotos e mandando mensagens para os amigos: o Dog Project iria realmente acontecer.

Os alunos presos em aula olhavam pelas janelas das salas enquanto Callie nos guiava para seu encontro histórico com um ímã grandalhão.

Chegamos à sala de imagem por ressonância magnética (IRM) por uma entrada secreta do hospital. Embora o Dog Project já tivesse adquirido um ar circense, não havia necessidade de alarmar os pacientes desfilando com Callie pelos corredores do hospital. Fechei a porta pesada, revestida de cobre para impedir a passagem de sinais elétricos dispersos. A porta garantia uma vedação rigorosa, quase hermética. Com o recinto seguro, soltei Callie da guia.

Focinho no chão e cauda erguida, ela deu várias voltinhas ao redor do aparelho de IRM. Satisfeita a curiosidade, saiu do recinto e checou a sala de controle. Apesar do ambiente hospitalar, o chão estava imundo. Vários anos antes, um faxineiro tentara limpar a sala de IRM. Imagine a surpresa dele quando a enceradeira levitou do chão e colidiu com o tubo da máquina. Desde então, o pessoal da faxina estava proibido de entrar na instalação. Com isso, a limpeza havia diminuído. Callie, é claro, encontrou todas as migalhas de matéria orgânica que um dia tinham sido comestíveis.

Antes que pudéssemos fazer qualquer varredura do cérebro, Callie teria de entrar na máquina. Normalmente, os campos magnéticos são imperceptíveis para nós. Mas a IRM cria um campo magnético sessenta mil vezes mais forte que o da Terra. Definitivamente perceptível. Ao se aproximar do centro da IRM, o campo magnético aumenta em intensidade rapidamente. Se você movesse um pedaço de metal pelo campo, induziria uma corrente elétrica. A mesma coisa acontece quando uma pessoa se move através do campo magnético. O campo induz pequenas correntes elétricas em seu corpo. As correntes são mais proeminentes no ouvido interno, criando uma ligeira sensação de rodopio quando se é movido para o centro do magneto. Em algumas pessoas, no entanto, isso pode gerar uma sensação nauseante de vertigem.

Até aquele momento, não me ocorrera que os cães pudessem ser mais sensíveis ao campo magnético do que os humanos. Estávamos prestes a descobrir.

Coloquei a escada portátil na base da mesa do paciente. Callie deu uma cheirada, mas não demonstrou interesse em subir. Continuou a andar pela sala, curiosa a respeito de todos os cantos e recantos. Hora de trazer os cachorros-quentes. Isso chamou a atenção dela.

Incapaz de resistir ao cheiro de cachorro-quente, ela subiu até o topo da escada, porém, uma vez lá, recusou-se a subir na mesa do paciente. Claro, eu poderia tê-la pegado e colocado ali, mas era importante permanecer fiel ao nosso princípio ético de autodeterminação. Callie tinha de fazer isso por vontade própria.

Os técnicos de RM começaram a rir. Como poderíamos fazer uma ressonância magnética se o paciente não chegasse à mesa? Mas eu sabia que Callie acabaria indo. O ambiente era novo e excitante. Depois de se acalmar, ela se concentraria no que já aprendera. Passados cinco minutos subindo e descendo os degraus, Callie timidamente colocou a pata na mesa do paciente. Com grande entusiasmo, encorajei-a a continuar.

"É isso aí, Callie! Boa menina! Quer mais cachorros-quentes?"

Ela sacou. Em cima da mesa, viu que não era nada assustador e que havia um suprimento de cachorros-quentes a postos. Agora ela tinha que entrar no tubo da máquina.

Eu já havia prendido a barra de espuma para o queixo na bobina de cabeça, localizada bem no centro do tubo magnético. Então, no estilo João e Maria, coloquei uma trilha de cachorros-quentes na entrada do tubo até a bobina de cabeça. Sem pensar duas vezes, Callie caminhou pela mesa do paciente até o tubo, lambendo cachorros-quentes pelo caminho. Minha colega Lisa, que filmava o evento, arfou empolgada ao ver um cachorro entrando na IRM.

Dei a volta no *scanner* rapidamente para que pudesse avistar Callie do outro lado do tubo. Ela estava sentada em posição de esfinge logo abaixo da bobina de cabeça. A cauda balançava de um lado para o outro. Estendi a mão para dentro com um cachorro-quente e imediatamente senti a sala girar.

Callie viu o cachorro-quente e se apressou para a bobina da cabeça.

"Boa menina!", disse com meu tom de voz mais alto e animado.

Ela pegou o cachorro-quente e recuou um pouco, mas não saiu do tubo. Com um fluxo constante de cachorros-quentes, Callie adaptou-se rapidamente ao novo ambiente e logo estava feliz comendo guloseimas aninhada na bobina da cabeça. Não havia indícios de que o campo magnético a incomodasse.

Com Callie confortável no magneto, atingimos o primeiro objetivo da sessão. Como isso foi relativamente fácil, agora era hora de ver como ela reagiria a uma varredura real.

O *software* do *scanner* foi criado para seres humanos, então não tinha como saber que Callie era uma cachorra. Introduzir o peso exato do elemento era a informação mais importante, pois determina a potência de rádio a ser emitida pelo *scanner*. Potência em excesso cozinharia Callie como um pedaço de carne no micro-ondas.

Com cachorros-quentes, mais uma vez persuadi Callie a entrar na máquina. Quando ela estava confortavelmente acomodada na bobina da cabeça, fiz um sinal de positivo. O *scanner* emitiu uma série de estalos e zumbidos enquanto acelerava.

Os olhos de Callie se estreitaram.

Então o *scanner* começou a zumbir como o ataque de mil abelhas. Era a fase inicial de preparação, chamada *shimming*. O *scanner* ajusta o campo magnético automaticamente para compensar a distorção causada pelo que quer que seja colocado no interior. Normalmente, o *shimming* demora alguns segundos, mas com Callie o zumbido continuou. Mesmo com protetores de ouvido, ela não quis saber daquilo e se dirigiu para a saída.

Acenei com os braços, sinalizando ao técnico de RM para abortar a varredura.

"Que barulho foi esse?", perguntei.

"*Shimming*", disse ele.

"Por que demorou tanto?"

"O *scanner* teve problemas para compensar", explicou o técnico. "Provavelmente porque espera um humano."

Não havíamos pensado nisso. Tampouco havíamos gravado os ruídos de *shimming* para nossas sessões de treinamento. Presumimos que levaria apenas alguns segundos, um barulhinho em comparação com a longa varredura que se seguiria. Callie reagiu àqueles novos sons como qualquer cachorro: ficou apavorada.

Tentamos uma dúzia de vezes, mas Callie fugia assim que o *scanner* começava a zumbir. Tentamos até mesmo acionar a máquina antes de ela entrar, imaginando que, se Callie se acostumasse com o ruído do ambiente, eu poderia persuadi-la a ir até a bobina da cabeça. Com repetições suficientes, o *scanner* enfim foi capaz de montar uma compensação grosseira para o formato canino.

Então era a hora da varredura funcional. Trata-se de uma série de imagens que levam cerca de dois segundos cada uma para capturar o cérebro. Ao obter continuamente essas imagens funcionais enquanto Callie estivesse na máquina, poderíamos medir as alterações em sua atividade cerebral e descobrir o que ela estava pensando. Pelo menos o plano era esse. Por fim faríamos uma varredura estrutural, que é uma imagem em alta resolução do cérebro usada para identificar sua anatomia.

Foi difícil para Callie. Os protetores auditivos escorregavam, expondo seus ouvidos ao impacto total do ruído. Mesmo assim ela manteve a cabeça em posição por alguns segundos de cada vez. Paramos o *scanner* depois de somar três minutos de digitalização. Achamos que seria o suficiente para avaliar a qualidade dos dados.

Antes que Callie ficasse muito cansada, decidimos tentar uma imagem estrutural. A varredura estrutural leva trinta segundos, e Callie teria que ficar parada o tempo todo. Depois do exame, ela saiu do tubo e arrancou os protetores de ouvido com as patas. Deu um pulo e lambeu meu rosto, a seguir correu para Lisa, que lhe deu um grande abraço.

"Boa menina, essa!", exclamou Lisa.

Fomos para a sala de controle conferir as imagens.

A imagem estrutural parecia notavelmente boa. Havia fantasmas por toda parte, o que ocorre quando o objeto se move, mas era possível identificar claramente o cérebro de um cachorro. No caso das imagens funcionais, a história era bem diferente. Das 120 imagens, apenas uma continha algo semelhante a um cérebro. A maioria era uma desordem de pontos brancos com um globo ocular ocasional intrometendo-se no campo de visão.

Abracei Callie e disse: "Estou muito orgulhoso de você".

Mas na realidade não sabia se daria certo. O próximo exame – com Callie, a cachorra McKenzie e toda a comitiva – seria em três semanas. Eu esperava que pudéssemos descobrir antes disso. Se não o fizéssemos, eu teria que interromper o Dog Project e reconhecer que os pessimistas estavam certos: não dá para escanear o cérebro de um cão acordado.

1

Dia dos Mortos

DOIS ANOS ANTES

Todo dia 1º de novembro, empurro os restos dos doces de *Halloween* para o lado e ergo um santuário na mesa da sala de jantar. Começo com um vaso que Kat e eu compramos no México em nossa lua de mel. É um artigo barato, com uma coruja estilizada pintada a um lado, mas de alguma forma sobreviveu a várias mudanças por todo o país e passei a valorizá-lo pela resiliência, e não pela beleza. Também proporciona a autenticidade étnica necessária para o ritual e funciona como um objeto de centro ideal para sustentar fotografias.

Mantemos as fotos dentro de uma gaveta durante todo o ano, retirando-as apenas nesse dia. Kat e eu cercamos o vaso com elas — as fotos dos membros da família falecidos ao longo dos anos. Então, para completar a oferenda a seus espíritos, espalhamos uma profusão dos mais deliciosos doces assados.

Nossas duas filhas, Helen e Maddy, nunca questionaram por que fazemos isso. Afinal, viveram com o ritual a vida toda. Mas, quando chegaram à idade da razão, a pré-adolescência, perceberam que celebrar o Dia dos Mortos não era uma coisa normal de se fazer. Pelo menos não do jeito que fazíamos.

Nós incluíamos os cachorros.

Embora eu tivesse crescido com cachorros, só quando terminei a faculdade de Medicina tive a oportunidade de ter um cachorro que realmente pude chamar de meu.

Kat e eu estávamos casados havia cinco anos e adiando filhos até eu terminar meu curso. Então, para comemorar o término do meu primeiro ano de residência médica – um ano esgotante com semanas de cem horas –, respondemos um anúncio de cachorrinhos. Filhotes de *pug*, na verdade. Observo isso com alguma reserva, porque, para muitos, os *pugs* são uma distorção grotesca da forma canina. Claro que Kat e eu não os víamos assim. A cabeça grande, com focinho achatado e olhos saltados, era quase humana – uma espécie de substituto de um bebê.

Chamamos nosso novo cachorrinho de Newton.

Newton, como todos os *pugs*, era braquicéfalo, o que significa que tinha um focinho curto, mas o dele era encurtado ao extremo, com as narinas formando meras fendas. Era o que os criadores chamam de cabeça de maçã, por causa da conicidade do crânio. Sua coleção de malformações apenas o tornava mais cativante para nós, e seu fungado e ronco constantes se tornaram um ruído de fundo bem-vindo em nossa vida. À noite, ele dormia com a cabeça incomum aninhada em minha axila.

Newton era inteligente e cheio de energia – e brincalhão. Arrancava e mastigava as etiquetas de nossas roupas só para vomitá-las uma hora depois. Certa vez entrou em uma sacola de grãos de café com cobertura de chocolate, provocando um telefonema em pânico para o centro de controle de envenenamento. Pude ouvir os risos antes de garantirem aos donos de cachorro novatos que seu precioso *pug* ficaria bem.

Mergulhamos na cultura *pug*. Socializávamos com outros tutores; todos ecoavam a analogia entre *pugs* e as batatas fritas Lay's: é impossível ter apenas um. Portanto, não foi surpresa que em um ano tivéssemos adotado mais dois *pugs*. Simon, de seis anos, era o oposto de Newton: simples, meigo e estúpido. Dexter levou o ponteiro da balança para os quinze quilos depois de uma vida inteira alimentado com hambúrgueres por um motorista de caminhão que o levara para toda parte, mas não conseguia mais cuidar dele. Era como Jabba, o Hutt, bamboleando as dobras de pele pela casa. Gostava principalmente de ter o queixo coçado.

1. Dia dos Mortos

Newton (foto de Gregory Berns).

Dexter foi o primeiro a partir. Helen tinha três anos, Maddy acabara de completar dois. Foi naquele ano que começamos a celebrar o Dia dos Mortos. No começo, Dexter era o único espírito canino, e Kat e eu demos início à tradição de deixar petiscos de cachorro para ele. Simon se foi no ano seguinte.

Por mais que amássemos Newton, a casa simplesmente não parecia completa com apenas um cachorro. Não demorou muito para que as meninas, especialmente Helen, pedissem um cachorro. Mas queriam um cachorro grande e fofo com que pudessem brincar. (*Pugs* em seus últimos anos não brincam muito.)

Pouco tempo depois da morte de Simon, um criador respeitado em nossa vizinhança teve uma ninhada de filhotes de *golden retriever* disponíveis. Restavam apenas três quando fomos lá. Levamos para casa a única fêmea, um doce montinho de pelos dourados claros. Demos o nome de Lyra, por causa da protagonista do maravilhoso livro de Philip Pullman *A bússola de ouro*.

Lyra se ambientou com facilidade. Ela era a síntese da afabilidade que tornou os *golden retrievers* uma raça tão popular. Nunca protestava quando as amigas das meninas montavam nela e se deu bem com todos os cachorros da vizinhança, até mesmo com uma dupla de *terriers jack russell* irascíveis que moravam na nossa rua. Em parte por causa de sua personalidade descontraída e submissa e em parte por causa da pelagem dourada esvoaçante, Lyra tornou-se um elemento popular na vizinhança. As crianças corriam até ela para abraçar o ursinho ambulante. E Lyra apenas sorria.

Helen, Maddy e Lyra (foto de Gregory Berns).

Com o tempo, o focinho negro da juventude de Newton se desvaneceu completamente em cinza; apenas as orelhas conservaram algum pigmento escuro. A maior parte de seus dentes estava apodrecida após uma vida inteira de respiração pela boca, e sua fonte de energia diminuiu para um gotejar. Aos 15 anos, Newton sofria de uma lenta deterioração progressiva da medula espinhal. Acabou perdendo o movimento das patas traseiras, exigindo uma cadeira de rodas canina. Em seguida perdeu também o controle da bexiga e dos intestinos. Nunca em sua vida Newton tivera um acidente em casa, e seu olhar de vergonha enquanto lutava para se arrastar para longe do desastre nos disse que havia chegado a hora.

Quando coloquei Newton em seu túmulo, ele deu um último suspiro. Eu sabia que era o ar restante em seus pulmões sendo expulso; ainda assim, gosto de pensar que foi sua alma cruzando a Ponte do Arco-Íris até a terra mítica onde animais de estimação e humanos são reunidos.

Mesmo que eu não soubesse na época, a semente do Dog Project foi plantada com Newton. Era o espírito de Newton que mantinha enorme poder sobre mim. Tínhamos compartilhado quinze anos, e eu nunca soube realmente o que ele estava pensando.

O que eu gostaria mesmo de saber era se Newton de fato retribuía meus sentimentos por ele. Mas eu precisaria de algum tipo de decodificador do cérebro canino para saber se ele me amava.

Poucos meses após a morte de Newton, as crianças tiveram as férias de primavera. Kat e as meninas decidiram fazer uma visita ao abrigo de animais.

O primeiro indício de que estava rolando alguma coisa foi uma mensagem de texto de Kat. Ela anexou uma foto borrada de um cachorro pendurado em seu ombro. Era uma coisa comprida e esquálida com pernas que pareciam palitos. Era tão preta que não consegui enxergar nenhum detalhe, exceto as quatro patas brancas. A cabeça parecia uma bigorna com uma orelha apontada para cima e a outra caída sobre a cara.

Fim de papo. Depois de entrar no abrigo de animais, não havia como Kat e as meninas voltarem para casa sem um novo cão.

As meninas rapidamente começaram a elaborar uma lista de nomes potenciais, mas no primeiro dia chamamos a cachorra por seu nome no abrigo: Pequena Miss Piggy. O abrigo tinha um novo tema a cada semana para nomear os animais que chegavam, e aquela era a semana dos *Muppets*. Dada a aleatoriedade do protocolo de nomenclatura, não se pensaria que houvesse algum significado para o nome do abrigo. Mas a Pequena Miss Piggy logo provaria o contrário.

As crianças não eram fãs dos *Muppets*, então não havia dúvida de que o nome do abrigo teria de ser substituído. Além disso, era comprido demais. Eu não conseguia me imaginar em pé na varanda gritando: "Pequena Miss Piggy, venha. Pequena Miss Piggy, venha!".

Nossa nova cachorra era um mistério. Não sabíamos de onde vinha nem como acabara no abrigo. Embora não tivesse medo de humanos, parecia preferir aninhar-se com Lyra. Talvez não tivesse tido muito contato humano. No abrigo calcularam sua idade em nove meses. A maioria dos especialistas em cães recomenda a socialização com humanos às seis semanas de vida do cachorrinho. Então, embora fosse um pouco tarde para nosso novo animal de estimação, a falta de medo significava que, mesmo que tivesse tido pouco contato humano anteriormente, pelo menos ela não sofrera abusos.

No final, foi Maddy quem deu o nome.

"Que tal Calypso?", perguntou ela.

Na época, Maddy estava devorando tudo o que conseguia encontrar sobre mitologia grega. Calypso era uma deusa menor na *Odisseia*, que impediu Ulisses de deixar sua ilha para torná-lo seu marido. Isso durou sete anos, até Atena intervir e devolver Odisseu a seu verdadeiro amor, Penélope. Em grego, Calypso significa "cobrir" ou "esconder", e, dada a pelagem preta, o nome pareceu apropriado. Então Pequena Miss Piggy se tornou Calypso.

Abreviado para Callie.

Callie em alerta máximo (foto de Gregory Berns).

Pesando escassos 8,5 quilos, Callie tinha cerca de 30,5 centímetros de altura e 45 centímetros do focinho ao traseiro. Como todos os vira-latas, sua cauda se enrolava em um C sobre o lombo. Suas costelas eram claramente visíveis.

Helen foi para a internet para descobrir exatamente o que Callie era.

"*Jack russel terrier*", disse Helen, apontando para uma imagem no computador.

"A cor não está certa, e ela é mais alta que esse", disse Maddy.

"Obviamente é algum tipo de *terrier*", salientou Kat.

1. Dia dos Mortos

Achei Callie meio parecida com o antigo cão da RCA que olhava para o cone de um dos primeiros fonógrafos de Edison. A linhagem daquele cachorro, chamado Nipper pelo gosto por morder, não é clara. Alguns dizem que ele era um *jack russell*, outros, um *fox* ou *rat terrier*. Callie meio que se assemelhava a um *Manchester terrier*. Mas os *Manchesters* são sempre negros e castanhos, e Callie era preta e branca, o que atestava contra um *pedigree* de *Manchester* puro. Alguns dizem que o *Manchester*, ou *terrier* preto-e-castanho, como outrora eram chamados, foi cruzado com o *whippet* no século 19. *Whippets* são pequenos galgos, e esse cruzamento com certeza aumentou a velocidade do *terrier*. Como logo descobrimos, velocidade era um dos traços decisivos de Callie.

Na verdade, Callie era o cão mais rápido que já vi.

Na primeira vez em que a soltamos no quintal, ela estabeleceu um perímetro correndo em circuitos. A maior parte do quintal, no entanto, estava repleta de hera inglesa, que no clima exuberante do sul cresce em moitas altas até os joelhos. Callie corria a toda velocidade, alternando saltos sobre a hera e mergulhos sob a folhagem densa. Assim que chegava à cerca, ela se enfiava debaixo da hera, seguindo a cerca. Como um torpedo, tudo o que dava para ver era uma protuberância se movendo através da hera em alta velocidade, explodindo em um salto de alegria ao sair do túnel. Com os músculos das costas flexionando e se estendendo, ela corria como um guepardo.

Além da velocidade, Callie exibiu um foco de *laser* nos esquilos. Uma vez capturado em seu campo de visão, o esquilo seria perseguido até subir uma árvore em puro terror, com Callie arranhando a casca. Acossar esquilos em árvores não era a principal característica dos *terriers*. Embora Callie muito provavelmente fosse mestiça, não consegui evitar a fantasia de que havíamos encontrado uma puro-sangue não reconhecida no abrigo.

A perseguição dos esquilos até as árvores acabou sendo a chave para decodificar a herança de Callie. Não sendo nativo da Geórgia, eu não tinha conhecimento de uma raça peculiar do Sul: a *treeing feist* ou *mountain feist*. De acordo com a Associação Americana de Treeing Feist, essa raça existia nos Apalaches do Sul muito antes de os *rats terriers* serem trazidos para a América. Enquanto os *terriers* foram criados para capturar animais daninhos, os *feists* foram criados para caçar. E, embora os esquilos sejam sua presa principal, os *feists* caçam guaxinins, coelhos ou pássaros alegremente. Com pernas mais longas que os *terriers*, os *feists* são modelados para velocidade silenciosa. Vivem para sitiar um esquilo na árvore até que seu dono venha pegá-lo. O *feist* tem sua história entrelaçada aos primórdios do país. George Washington escreveu sobre eles em seu diário, e Abraham Lincoln até se referiu a eles em um poema.

Nos dois dias seguintes, a personalidade de Callie começou a se manifestar. E, embora tivéssemos trocado seu nome, de alguma forma o abrigo tinha acertado. Ela adorava comer.

Todo dia, quando eu chegava do trabalho, Callie irrompia na sala e saltava para cima e para baixo como um pula-pula, abanando a cauda furiosamente, os olhos cheios de pura alegria. Porém, no quarto dia, quando cheguei em casa, ela apenas se deitou no tapete, mal se mexendo.

"O que há de errado com Callie?", gritei para Kat, que estava ocupada ajudando Helen com o dever de casa.

"Como assim?", perguntou Kat.

"Ela está apenas deitada aqui no chão." Isso trouxe todo mundo correndo para a sala.

Maddy cobriu a boca enquanto seus olhos se enchiam de lágrimas.

"O que ela tem?", perguntou Helen.

Callie apenas rolou de lado, choramingando.

Me ajoelhei para ver qual era o problema. A barriga de Callie estava estufada, fora de qualquer proporção com seu porte esquelético. Quando a toquei na barriga, ela se contorceu e deu um pequeno gemido.

Imediatamente saímos à procura do que ela poderia ter comido. Eu esperava encontrar os restos esfarrapados de um sapato ou de um dos brinquedos das crianças. Dez minutos de busca não renderam nada, e Callie parecia estar piorando. Movimentando-se para ficar sentada, de pé ou deitada, ela era incapaz de encontrar uma posição que não lhe causasse dor. Enfim Kat gritou da despensa da cozinha. "Achei!"

Era onde guardávamos a comida dos cachorros. Ao longo dos anos, percebemos que era mais barato comprar sacos de vinte quilos. Para facilitar o acesso, armazenávamos a comida em uma grande caixa de plástico no chão da despensa. Com tampa, a caixa sempre havia impedido que os cães se servissem. Até agora.

A tampa fora arrombada e havia alguns farelos de ração espalhados. De alguma forma Callie descobrira como abrir o recipiente e se empanturrou até não poder mais. Ainda restava muita comida na caixa, mas nenhum de nós sabia o quanto havia lá antes. Os farelos no chão indicavam que ela havia comido tanto que não se dera ao trabalho de pegar as migalhas restantes.

Helen estava à beira do pânico. "Temos de levá-la ao veterinário!"

Olhei para o relógio. Passava das seis. Kat estava pensando a mesma coisa: consulta de emergência após o expediente. Ia ser caro.

Callie era uma cachorrinha muito magra, e sua barriga parecia um balão. Era difícil imaginar como tudo aquilo sairia dali. Talvez tivesse comido tanto que arrebentou o estômago. Seria possível? Eu tinha ouvido falar de tais coisas acontecendo com humanos, nunca com cachorros.

"Você sabe o que aconteceu com os ossos de couro?", perguntou Kat.

"Que ossos de couro?"

"O pacote de ossos de couro que eu comprei ontem."

Enquanto Callie se contorcia no chão, nós dois descobrimos a resposta.

Fomos para a clínica veterinária de emergência. Era um hospital multiespecialidades com quadro completo de profissionais, atendimento 24 horas e equipado com as mais recentes tecnologias médicas. Ao contrário de um hospital humano, o pagamento era antecipado. Duzentos dólares para abrir uma comanda.

Não sabíamos ao certo o que mais Callie tinha comido, então o primeiro pedido foi um raio X.

"Está vendo isso aqui?", perguntou a veterinária, apontando para o que parecia a silhueta de um cachorro recheada de pipoca. "Tudo isso é comida. A boa notícia é que não há objetos estranhos."

"E a má notícia?"

"Ela realmente não consegue beber nada nesse estado. Se ficar desidratada, a comida pode se transformar em concreto no estômago, o que dificultará muito a evacuação. Recomendo colocá-la no soro para mantê-la hidratada e deixá-la aqui durante a noite."

Nenhum de nós queria deixar nosso novo animal de estimação durante a noite no hospital. Helen resumiu: "Papai, ela acabou de vir do abrigo. Ela está muito apavorada".

"Você não pode apenas fazê-la vomitar?", perguntei à veterinária. Claramente, não era o rumo que ela gostaria que a conversa tomasse.

"Podemos tentar", respondeu ela com alguma resignação. "Mas nesse estágio não costuma funcionar."

Como não havia muito risco em tentar, Callie recebeu uma injeção de apomorfina, um emético potente. Cinco minutos depois, começou a tentar vomitar. Mas, como a veterinária havia previsto, não saiu nada. Callie apenas pareceu confusa e assustada.

Não havia escolha. Às lágrimas, despedimo-nos da Pequena Miss Piggy e nos arrastamos para fora do hospital. Mesmo que Callie estivesse conosco fazia apenas alguns dias, não pude deixar de sentir que de alguma forma havíamos falhado com ela. Que espécie de donos de animais de estimação éramos nós, se o novo adotado ia parar no hospital na primeira semana?

Na manhã seguinte, ligaram do hospital para dizer que os sinais vitais de Callie estavam estáveis, mas que ela não tinha evacuado. Recomendaram mantê-la outras 24 horas.

"Podemos levá-la para casa?", perguntei.

"Não recomendamos."

Helen puxou minha manga, implorando para eu buscá-la.

Kat e eu imaginamos que, se algo de ruim fosse acontecer, já teria acontecido. Além do mais, Callie tinha a vantagem de estar reidratada por via intravenosa, o que esperávamos que a mantivesse abastecida até a comida sair.

No hospital, tivemos que retirar Callie "contra o conselho médico". Sim, éramos péssimos donos de cachorro. Quando chegamos, Callie saltou para dentro de casa como se nada tivesse acontecido. Bebeu um monte de água e correu para fora para saltitar pela hera.

Tínhamos seguro médico do abrigo de animais para os primeiros trinta dias da adoção, mas a companhia de seguros negou o reembolso. Letras miúdas sobre cobertura apenas em caso de ingestão de corpos estranhos, não de comilança patológica.

Não importava. Eu estava grato por Callie estar bem. E ela logo mudaria minha vida, ajudando a responder minhas perguntas sobre o que Newton havia sentido e por fim revelando pistas para a pergunta mais profunda: o que os cães realmente pensam?

2

Como é ser um cachorro

A ideia de escanear cérebro de cães não me ocorreu de uma hora para outra. Como na maioria dos desenvolvimentos científicos, começou como uma série de pensamentos e inferências aleatórios que por fim levaram a um momento eureca. Enquanto a morte de Newton plantou a semente de uma ideia, foi meu desconforto com grupos de pessoas que a ajudou a crescer.

Nos últimos quinze anos, meu laboratório tem usado a tecnologia de escaneamento do cérebro para entender como funciona o sistema de recompensas humano. A principal ferramenta que usamos é a imagem por ressonância magnética, ou IMR. Mais ou menos do tamanho de um carro, um *scanner* de IMR é basicamente um grande tubo envolto em quilômetros de fio. Quando a eletricidade é enviada através do fio, cria um poderoso campo magnético que pode ser usado para ver o interior do cérebro de uma pessoa. Uma ressonância magnética padrão, como a que você faria se fosse a um hospital tirar uma foto do seu cérebro. Os cientistas logo descobriram que, se você tirasse várias fotos em disparos rápidos, poderia ver o cérebro em ação. Isso é chamado de ressonância magnética funcional, ou RMf, e abriu a caixa-preta da mente humana. Com a RMf podemos medir a atividade dentro do cérebro enquanto uma pessoa realmente faz alguma coisa, como ler ou calcular, ou mesmo enquanto experimenta diferentes tipos de emoções. Isso permite que os cientistas descubram como o cérebro realmente funciona (daí o "funcional" em RMf).

Como líder de um laboratório de pesquisas, um dos meus deveres é realizar uma festa anual da equipe. Você poderia pensar que fosse uma atividade agradável. Inevitavelmente, é uma fonte de estresse em nossa casa. Os cachorros também não ajudam.

Como eu, os cachorros nunca socializaram de forma adequada com grandes grupos de pessoas, algo pelo que assumo toda a culpa. Como não damos festas com frequência, pareceu irracional fazer com que os cães aprendessem como se comportar nessas situações. No entanto, não se pode abdicar por completo dessas necessidades sociais, como nossa reunião anual de membros do laboratório.

Ignorando minha antipatia, Kat e as meninas lançaram-se nos preparativos da festa anual. Pegaram todas as cadeiras da sala de jantar e montaram um arranjo de assentos semicirculares na sala de estar. Nada de mais, presumindo que os convidados são adultos aptos, que conseguem conversar enquanto comem e bebem sem mesas para colocar a comida. No entanto, não leva em conta cães miúdos como Callie, nem cães que abanam rabos grandes e peludos, como Lyra.

Se todos fossem apreciadores de cachorro, essas festas não apresentariam problemas. Nos últimos anos, por certo fiquei mais seletivo ao aprovar pessoas para trabalhar no laboratório, e isso inclui perguntar se gostam de cachorros ou, como segunda opção, gatos. Mas dá realmente para confiar em alguém que não tem um animal de estimação? Apesar do meu grande empenho para ocupar o laboratório com amantes de animais, não tenho controle sobre cônjuges e parceiros.

Kat queria trancar Lyra e Callie no quarto quando os convidados chegassem. As cachorras não estavam acostumadas a ficar presas, então me fiz de desentendido e deixei que participassem da festa. Quando os convidados chegavam, Callie dava um latido superficial. Lyra apenas sorria e sacudia excessivamente o rabo enquanto as pessoas entravam.

Eu podia confiar no pessoal do laboratório que gostava de cães para ficar de olho nelas e impedir que roubassem comida, então saí de fininho para ajudar Kat na cozinha. Ela estava servindo canapés e bebidas. A equipe, embora diversificada em termos de origem, era predominantemente americana, com exceção de um membro da Índia. No instante em que entrei na cozinha ele chegou com a esposa.

A entrada foi marcada de forma dramática por um "Iiiiiiii! Iiiiiiii! Iiiiiiii!".

Voltei correndo da cozinha. A esposa do meu colega, envolta em um sári adorável, recuou para um canto, gritando como um pássaro à mera visão das cachorras.

Aquele comportamento desconcertou Callie, que não deu mais bola para a convidada e tratou de procurar comida no chão. Lyra, por outro lado, achou aquelas vocalizações altamente estimulantes. Ela seguiu direto para o som e começou a pular para cima e para baixo e latir, no que me pareceu um convite para brincar. Mas a careta de terror no rosto da mulher não indicava tal desejo.

Agarrei Lyra pela coleira e a levei para o quarto.

"Desculpe, garota. Você não pode brincar esta noite."

O que Lyra pensou que fosse o motivo para a mulher estar gritando? Se Lyra fosse uma pessoa, eu poderia simplesmente ter perguntado a ela. De que outro jeito eu poderia descobrir o que se passava pela cabeça dela?

Para saber de fato o que um cão está pensando, você teria que ser um cachorro.

A questão sobre o que um cachorro pensa na verdade é um antigo debate metafísico, com origens no famoso ditado de Descartes *cogito ergo sum* – "Penso, logo existo". Toda a nossa experiência humana existe apenas dentro de nossa cabeça. Fótons podem atingir nossas retinas, mas é somente mediante a atividade do cérebro que temos a experiência subjetiva de ver um arco-íris ou a sublime beleza de um pôr do sol sobre o oceano. Um cachorro vê essas coisas? Claro. Eles as experimentam da mesma maneira? De jeito nenhum.

Enquanto pulava e latia para a mulher envolta em púrpura, com um ponto vermelho na testa, Lyra experimentou as mesmas coisas que eu em um nível primitivo. Roxo. Vermelho. Gritos. São sensoriais primitivos. Originam-se em fótons que saltam dos corantes, nas ondas de pressão no ar ao redor das cordas vocais da mulher. Mas meu cérebro interpreta esses eventos de um jeito, e o cérebro de Lyra, de outro.

Observar o comportamento de Lyra não revela o que ela estava pensando. A partir de experiências passadas, eu sabia que Lyra latia e pulava em resposta a diferentes coisas. Ela late quando estamos comendo. Nesse contexto, uma suposição natural seria que ela também quer comida. Mas

2. Como é ser um cachorro

ela também late depois de jogar uma bola de tênis aos meus pés. Eu não tinha uma estrutura de referência comparativa para o que atraiu Lyra para a mulher aos gritos na festa daquela noite.

A questão de como é ser um cachorro pode ser abordada a partir de duas perspectivas muito diferentes. A abordagem difícil pergunta: como é ser um cachorro para um cachorro? Se pudéssemos responder isso, todas as perguntas sobre o comportamento de um cachorro seriam esclarecidas. Todavia, o problema é que, sendo um cachorro, não teríamos linguagem para descrever o que sentimos. O melhor que podemos fazer é uma pergunta relacionada, mas substancialmente mais fácil: como seria para *nós* sermos um cachorro?[1] Ao nos imaginarmos na pele de outro animal, podemos reformular perguntas de comportamento para o equivalente humano. A pergunta sobre por que Lyra assediou a convidada da festa torna-se: se eu fosse Lyra, por que latiria para aquela mulher? Com esse enquadramento, podemos formar todo tipo de especulação para o comportamento dos cães.

Muitos autores escreveram sobre a mente dos cachorros, e alguns até tentaram responder aos tipos de perguntas que fiz. Não vou rever essa vasta literatura. No entanto, vou salientar que muito dela se baseia em duas suposições potencialmente falhas – ambas decorrentes do paradoxo de entrar na mente de um cachorro sem ser um cachorro.

A primeira falha vem da tendência humana de antropomorfizar, ou projetar nossos pensamentos e sentimentos em coisas que não são nós. Não temos como evitar isso. Nosso cérebro é programado para projetar nossos pensamentos nas outras pessoas. Isso é chamado de *mentalização* e é fundamental para as interações sociais humanas. As pessoas são capazes de interagir entre si apenas porque estão constantemente pressupondo o que as outras estão pensando.

Por exemplo, as mensagens de texto curtas e as postagens com menos de 140 caracteres funcionam porque as pessoas mantêm modelos mentais umas das outras. O conteúdo linguístico real da maioria das trocas de texto é mínimo. E, como os humanos têm elementos culturais comuns, tendemos a reagir de maneira bastante semelhante. Por exemplo, se eu assistir a um filme que me deixa triste, posso usar minha reação para intuir que as pessoas sentadas ao redor estão se sentindo da mesma maneira. Eu poderia até começar uma conversa com um completo estranho com base em nossa experiência compartilhada, usando meus pensamentos como ponto de partida.

Mas os cachorros não são iguais aos humanos e com certeza não têm uma cultura compartilhada como nós. Não há como evitar o fato de que, ao observar o comportamento dos cães, enxergamos através do filtro da mente humana. Infelizmente, muito da literatura sobre cães diz mais sobre o escritor humano do que sobre os cachorros.

A segunda falha é usar o comportamento dos lobos para interpretar o comportamento dos cães, denominada *lupomorfismo*.[2] Embora seja verdade que cães e lobos compartilham um ancestral comum, isso não significa que os cães descendam dos lobos. Essa é uma distinção importante. As trajetórias evolutivas de lobos e cães divergiram quando alguns dos "lobos-cães" começaram a andar com proto-humanos. Aqueles que ficaram por perto se tornaram cachorros, e aqueles que se mantiveram afastados se tornaram os lobos modernos.

Os lobos modernos se comportam de maneira diferente dos cães e têm estruturas sociais muito diferentes. Seu cérebro também é diferente. Interpretar o comportamento dos cães através das lentes do comportamento dos lobos é ainda pior do que antropomorfizar os cachorros: é antropomorfizar o comportamento dos lobos e usar essa impressão defeituosa como analogia para o comportamento dos cães.

As analogias com lobos levaram a muitas estratégias de treinamento falhas, baseadas na ideia de que o humano deve ser o "líder da matilha", uma abordagem muito comumente associada a Cesar Millan. Infelizmente, não existe base científica para usar a estrutura social dos lobos como modelo para o relacionamento entre cães e humanos.

Os cachorros não sabem falar, e não podemos nos transportar para a mente de um cachorro para saber qual é a sua experiência subjetiva. Onde vejo um *golden retriever* feliz, pulando para cima e para baixo, outra pessoa pode ver um cachorro faminto planejando comê-la no jantar. Então o que podemos fazer para conhecer melhor a mente de um cão?

Embora eu não tenha feito a conexão na festa, logo perceberia que a solução estava bem na minha frente: imagens cerebrais.

Como todo cérebro de mamífero tem partes substancialmente semelhantes, um mapa de ativação cerebral canina pode ser relacionado a seu equivalente humano. Por exemplo, se víssemos a ativação no centro de recompensas do cérebro canino, isso poderia ser interpretado a partir de experimentos humanos que resultam em atividade similar. Com experimentos em humanos, temos uma ideia razoavelmente boa do que aconteceu para criar um padrão particular de ativação cerebral. Sabemos, por exemplo, que a atividade na parte visual do cérebro pode ser causada por fótons que atingem a retina ou pela pessoa que imagina mentalmente uma cena com os olhos fechados. Da mesma forma, se observássemos atividade na parte visual do cérebro de um cachorro e este não estivesse olhando para nada, poderíamos presumir que ele estava formando uma imagem mental de algo. Cães também poderiam ter imaginação![3]

O mapeamento entre os cérebros de diferentes espécies é chamado de *homologia funcional*. Significa que uma experiência subjetiva, como a imaginação, pode ser mapeada tanto no cérebro humano quanto no cérebro canino. Os padrões de atividade nos dois cérebros ilustrariam como transformar um tipo de cérebro no outro.

Os filósofos descartam a questão de como é ser um cachorro como algo irrespondível, mas homologias funcionais entre os cérebros de cães e humanos poderiam fornecer o elo perdido. Embora as imagens cerebrais não nos digam como é ser um cachorro para um cachorro, poderiam fornecer um mapa – um mapa cerebral – de como seria para um humano ser um cachorro, sem o viés do intérprete humano. Se desse certo, a imagem cerebral poderia acabar sendo um tradutor neural canino. Poderíamos ir muito além da questão de por que Lyra fora desagradável na festa. Se pudéssemos mapear nossos pensamentos e sentimentos no cérebro dos cães, poderíamos ir direto ao cerne do relacionamento cães-humanos: será que os cachorros nos amam?

Tudo se resume a reciprocidade. Se a relação cães-humanos é predominantemente unilateral, com os humanos projetando seus pensamentos sobre cães de olhar vidrado em seus senhores na esperança de receber um petisco canino, então os cachorros não são muito melhores do que um grande urso de pelúcia – um objeto macio, quentinho e reconfortante.

Mas e se o cachorro retribuir no relacionamento? Será que os cães têm algum conceito dos humanos como algo mais do que fornecedores de comida? Simplesmente saber que os sentimentos humanos em relação aos cães são retribuídos de alguma forma, mesmo que apenas em parte, muda tudo. Isso significaria que os relacionamentos entre cães e humanos pertencem ao mesmo plano que as relações entre humanos.

Nenhuma dessas perguntas pode ser respondida pela simples observação do comportamento dos cães. Elas vão ao cerne da experiência subjetiva do mundo pelos cachorros e, em particular, da sua experiência subjetiva de nós.

Meu colega e a esposa não ficaram muito tempo. Mesmo com os cachorros trancados, podíamos ouvir Lyra latindo no quarto acima do barulho da festa. Ninguém ficou surpreso quando eles foram os primeiros a se despedir.

Depois que eles foram embora, soltei as cachorras. Lyra correu para os convidados restantes e, em seu estado de excitação, vomitou algo espumoso e verde. Eles assistiram repugnados quando Callie foi voando lamber aquilo.

Com o coro de "Ooooh, que nojo!", ficou claro até que os amantes dos animais estavam horrorizados com o comportamento de nossas cachorras. Seguiu-se um êxodo.

E é por isso que não fazemos mais festas do laboratório em nossa casa.

3

Uma expedição de pesca

O embaraçoso incidente da festa do laboratório foi o segundo catalisador do Dog Project (a morte de Newton foi o primeiro); contudo, o episódio final para colocar o projeto em andamento veio do nada: a morte de Osama bin Laden.

Todas as quartas-feiras pela manhã, os membros do meu grupo de pesquisa se juntam para o único evento sagrado de todo laboratório acadêmico: a reunião do laboratório. Independentemente do campo de pesquisa, todos os laboratórios de todas as universidades realizam reuniões uma vez por semana, a única ocasião em que todos, do estudante sem graduação ao diretor do laboratório, têm a oportunidade de ficar sabendo o que os demais estão fazendo. Na reunião de laboratório, tudo é colocado na roda. Você ouve sobre novas descobertas, dados inexplicáveis e pistas falsas.

Toda a pesquisa do meu laboratório é baseada em dados de ressonância magnética. Somos um laboratório "seco", pois não trabalhamos com produtos químicos nem fazemos experimentos biológicos que exijam equipamentos de contenção dispendiosos. Laboratórios desse tipo são "molhados", porque têm encanamento e saídas de ar especializados para evitar a liberação de gases tóxicos ou, pior, micróbios infecciosos.

Nosso laboratório nem sequer tem pia. É simplesmente uma grande sala com terminais de computador ao redor do perímetro. Uma mesa central serve de eixo para socialização e reuniões da equipe. Um calendário pendurado na parede serve para que todos saibam quando as pessoas estão fora da cidade e quando faremos ressonâncias no hospital. Isso fornece uma panorâmica do quanto estamos ocupados. Sem dados, sem ciência. Gosto de ver um bom fluxo de temas de pesquisa, pelo menos quatro por semana.

Além disso, as paredes são cobertas do chão ao teto com quadros brancos. Usamos as paredes para rabiscar ideias. Cada centímetro está coberto por diagramas, equações ou gráficos. Os visitantes ficam fascinados com a ofensiva visual de códigos especializados da ciência: símbolos gregos, enigmas estatísticos, fluxogramas. O pessoal do laboratório está literalmente cercado de ideias.

Do *brainstorming* inicial ao artigo publicado passam-se cerca de dois anos. A coleta de dados – o exame dos sujeitos na máquina de ressonância magnética – ocupa a menor parte desse tempo. Podemos passar seis meses debatendo e depurando uma ideia e apenas um mês coletando os dados. Às vezes os resultados revelam-se muito mais complicados do que o previsto. Ok, *na maioria das vezes* eles revelam-se mais complicados do que esperávamos; às vezes passamos um ano analisando os dados para entender os resultados. O processo de redigir os resultados e enviar para um periódico para serem publicados também pode levar um ano.

Alguns anos antes de embarcar no Dog Project, minha equipe começou a explorar diferentes tipos de tomada de decisão. Tendo passado uma década estudando os efeitos de recompensas como dinheiro e comida sobre o cérebro, recentemente havíamos incluído o estudo de decisões baseadas em valores sagrados. Não foi algo planejado. Aconteceu quando conheci Scott Atran, um antropólogo que estuda as raízes do terrorismo. Nos encontramos em uma conferência acadêmica e, acompanhados de uma garrafa de vinho, bolamos a ideia de usar a RMf para tentar entender como a religião e outras crenças sagradas guiam as tomadas de decisão. Seria uma colaboração divertida, com o benefício prático adicional do financiamento pelo Departamento de Defesa. Mas, a fim de sondar os valores sagrados das pessoas, teríamos de tocar em temas delicados. Raça, religião, sexo, armas, aborto, direitos dos homossexuais – tudo aquilo que você não fala com a parentada.

Passamos um ano debatendo o experimento dos valores sagrados, pelo menos metade desse tempo desperdiçado, pois ninguém no laboratório se sentia realmente à vontade para falar sobre tais assuntos. Cientistas ou não, se você insistir para valer sobre o que é sagrado para as pessoas, pode ter certeza de que elas ficarão ofendidas.

Em algum momento, acho que a equipe percebeu que não iríamos progredir até que melhorássemos na coisa de sugerir ideias que pudessem ofender outrem. Então foi mediante esforço decidido que nos tornamos politicamente incorretos de verdade. Também foi assim que conhecemos uns aos outros de verdade. A equipe inclui pessoas de diferentes gêneros, orientações sexuais, religiões, raças, afiliações políticas, até mesmo dietas. Recorrendo aos próprios valores sagrados, cada um de nós compilou uma lista das declarações mais ofensivas que poderíamos imaginar e as lapidamos. Quando examinamos as respostas cerebrais às afirmações, descobrimos que o cérebro processa valores sagrados como regras – como os dez mandamentos. Foi importante, pois explicou por que as crenças sagradas são tão resistentes a mudanças. Não podem ser discutidas e não podem ser trocadas por dinheiro ou outras coisas materiais.

Talvez tenha sido uma espécie de premonição cósmica, mas uma das questões que investigamos no experimento dos valores sagrados foi se as pessoas se identificavam como fãs de cachorro ou de gato. Não sei ao certo se é bom, mas sempre categorizei as pessoas dessa maneira. E a resposta "nenhum dos dois" era a pior de todas.

Contra esse pano de fundo do experimento dos valores sagrados, a missão para matar Osama bin Laden estava em todos os noticiários. Com o vazamento dos detalhes, foi revelado que um cachorro havia acompanhado o SEAL Team 6. Isso não deveria ser particularmente surpreendente; cães têm feito parte de unidades militares nos séculos 20 e 21. São presença garantida nas fronteiras e aeroportos, e todo departamento de polícia urbana tem uma unidade K9. Mas o fato de um cachorro ter ajudado a matar o homem mais procurado do mundo era algo especial. Mostrou que os cães não eram apenas companheiros. Mesmo que não tivesse compreensão da democracia, um cão ajudara a defender um estilo de vida.

Como os membros humanos do SEAL Team 6, a identidade do cão na missão não foi revelada. Mas o anonimato apenas alimentou o furor na mídia. Para satisfazer o apetite do público por detalhes, o braço de relações públicas da Marinha divulgou fotos de cães militares de trabalho: um pastor alemão com colete à prova de balas atravessando um riacho. Um pastor belga pulando a rampa de um helicóptero com seu treinador.

A foto mais comovente foi a de um cachorro amarrado ao peito de um soldado saltando de paraquedas de um avião a trinta mil pés, ambos com máscaras de oxigênio. O soldado aninhava o cão com um braço enquanto puxava o cabo de liberação do paraquedas com o outro. A proximidade do vínculo e o abraço físico me pegaram em cheio: cachorros e humanos são feitos um para o outro. Não poderíamos existir um sem o outro.

Antes de ver essas fotos, eu não tinha a menor ideia de que haviam treinado cães para realizar essas incríveis proezas. O barulho de um helicóptero é ensurdecedor. A maioria dos humanos leva algum tempo para se acostumar, e mesmo assim usam protetores auriculares potentes. Obviamente aqueles cachorros haviam sido acostumados a alguns ambientes bastante hostis. A julgar pelas fotos, não apenas toleravam, mas também gostavam de trabalhar lá com seus humanos.

"Estão sabendo que havia um cachorro na equipe SEAL?", perguntei em nossa reunião de quarta-feira. A equipe foi até um dos computadores para ver as imagens dos cães militares que haviam me empolgado.

"Irado!", disse Andrew Brooks, o único aluno da pós-graduação no laboratório. Andrew estava na equipe havia dois anos, rumando para um doutorado em neurociência. Eu gostava muito dele. Seus pais eram missionários e na época moravam no Japão. Mas o fervor religioso não foi transmitido a Andrew. Ele virou para o outro lado e encontrou sua vocação na ciência. Ainda assim, seu trajeto até a Universidade Emory era incomum.

Emory é considerada uma instituição de bastante prestígio, e a maioria dos estudantes que se matriculam na pós-graduação vem de um grupo previsível de universidades. Os *ivy leaguers* tendem a permanecer no nordeste, então Emory recebe um fluxo constante de alunos das "*ivies* sulistas", como as universidades Duke e Vanderbilt. Mas Andrew tinha frequentado uma faculdade comunitária local e a seguir se transferido para uma escola minúscula de artes liberais em Macon, na Geórgia. Depois de formado, ele se candidatou à pós em Emory. Macon fica nos confins do sul. Eu conhecia Macon apenas como lar da Allman Brothers Band e como o local onde

3. Uma expedição de pesca

Duane Allman morreu quando sua motocicleta colidiu com um caminhão em 1971, levando ao clássico álbum póstumo *Eat a Peach*.

No início da minha carreira, eu teria torcido o nariz para um aluno como Andrew. Houve um tempo em que confundi *pedigree*, ou mesmo puro intelecto, como fator determinante para o sucesso na ciência. Mas eu tinha ficado cauteloso com os superastros de papel. Muitos alunos incrivelmente inteligentes que passaram pelo laboratório não tinham paixão pela pesquisa. Talvez estivessem acostumados com as coisas serem fáceis para eles. Infelizmente, a ciência nunca sai do jeito que você espera. Muitos deles não lidavam muito bem com o inesperado.

Andrew não via nada como garantido. Era esperto, trabalhava duro e tinha um entusiasmo visceral para fazer experimentos que poderiam falhar espetacularmente. E Andrew curtia cachorros. Morava com uma *poodle toy* chamada Daisy e um esquimó americano chamado Mochi.

A outra grande fã de cachorros no laboratório era Lisa LaViers, que acabara de entrar para a equipe depois de se formar em Emory. Ela havia se saído bem na minha aula de neuroeconomia no semestre anterior e, quando abriu uma vaga no laboratório, eu a encorajei a se candidatar.

Lisa era, em uma palavra, vibrante. Era uma das pessoas mais jovens no laboratório, e eu amava seu espírito de aventura e o entusiasmo que trazia para a equipe. Embora Lisa não tivesse experiência prévia com RMf, segui meu palpite de que ela poderia aprender rapidamente as habilidades para executar um projeto desde a linha de partida até o fim. Ela havia se formado em economia, então tinha algumas habilidades matemáticas. Tudo o que fazemos no laboratório, desde a programação de experimentos até a análise dos dados de ressonância magnética, envolve uma quantidade razoável de sofisticação matemática. Mesmo assim, nada com que uma economista não conseguisse lidar. Embora de início Lisa estivesse apreensiva em aceitar um emprego para o qual era novata, rapidamente ganhou confiança ao assumir o projeto dos valores sagrados.

A característica mais cativante de Lisa era o que ela chamava de defeito de nascença. Estava mais para um trejeito. Sempre que Lisa ouvia atentamente alguém falando, ela franzia as sobrancelhas em uma expressão parecida com a de Spock. A maioria das pessoas interpretava isso como um sinal de confusão. Como Lisa era uma pessoa sociável, que ouvia muita gente, algumas concluíam que ela estava perpetuamente confusa.

Mas Lisa nunca se confundia quando se tratava de cachorros. Era loucamente apaixonada por seu *goldendoodle* Sheriff, de dois anos. Sheriff era um cachorro grande e bobão. Maior do que um *poodle* e um *golden retriever* de tamanhos padrão, era imponente até abrir a boca em um sorrisão que transmitia *eu te amo, seja você quem for*.

Depois que todos viram as fotos dos cães militares, o grupo se acomodou ao redor da mesa central.

"Se os cães podem ser treinados para saltar de helicópteros", comecei, "com certeza podem ser treinados para entrar em uma máquina de ressonância magnética."

Andrew assentiu com a cabeça. Lisa franziu as sobrancelhas.

Gavin Ekins foi o primeiro a fazer a pergunta óbvia: "Por que você faria isso?".

Gavin estava no laboratório havia dois anos. Depois de receber o PhD em economia, juntou-se ao grupo para aprender sobre a parte da imagem na neuroeconomia. Eu sempre podia contar com ele para ir direto ao cerne da questão. Não tinha um cachorro, por causa de sua situação de vida, mas crescera com cães. Namorava uma garota cujo papel era avaliar a compatibilidade entre macacos usados em pesquisas na Emory. Uma casamenteira de macacos.

À pergunta de Gavin, repliquei: "Para ver o que eles estão pensando".

"Não acho que você precise de uma ressonância magnética para isso", disse Gavin. "É '*esquilo*'!"

Isso provocou boas risadas – todos nós éramos fãs de *Up: Altas aventuras*, da Pixar – e, é claro, desencadeou uma rodada de outras piadas sobre o que os cães pensam, centradas em comida e farejar traseiros.

Monica Capra me surpreendeu ao ser a primeira no laboratório a dizer que aquilo era uma boa ideia. Nascida e criada na Bolívia, país devastado por políticas econômicas precárias, Monica tinha motivos óbvios para se tornar professora de economia. Insatisfeita com a teoria, foi se especializar em economia experimental, fazendo testes reais para verificar se as pessoas se comportavam da maneira que outros economistas diziam que elas se comportavam. Um colega havia nos apresentado oito anos antes; nos demos bem de cara por causa do interesse mútuo pela tomada de decisões, e desde então projetamos experimentos de RMf juntos.

Monica era osso duro de roer, sempre crítica e sem pudores para apontar as falhas nas ideias dos outros. Debaixo da carapaça havia uma pessoa afetuosa, mas alérgica a cachorros. Era a última pessoa no laboratório que eu esperava que apoiasse a ideia.

"As pessoas gastam uma enorme quantidade de dinheiro com seus cães", disse ela. "Eles são importantes para muita gente. Acho que é importante descobrir por quê."

Kristina Blaine, que coordenava todas as atividades do laboratório, expressou seu apoio também, o que foi estranho, considerando que ela vivia com quatro gatos.

Sentado ao lado de Monica estava Jan Barton. Jan (pronuncia-se *ián*) também é da América do Sul, no caso, Argentina. Jan é professor de contabilidade. Monica havia lhe contado sobre o tipo de pesquisa que fazíamos no laboratório, e ele começou a andar com a gente para descobrir como usar a neuroimagem na contabilidade, o que era uma aplicação completamente nova da RMf e algo que ninguém havia feito antes – sempre um risco para a carreira acadêmica. Jan tinha um cachorro que tomava Prozac para ansiedade – ele apenas sorriu ante a ideia de escanear cérebros de cães.

Lisa estivera absorta em pensamentos e enfim disse: "Se começarmos a escanear cachorros, isso significa que teremos cães no laboratório?".

"Acho que sim."

"Obaaaa!"

Me virei para Andrew. Não havia como eu conseguir fazer isso sozinho. Eu ainda tinha que lecionar e supervisionar o resto dos projetos de pesquisa no laboratório. Andrew era o único estudante de pós-graduação. Isso significava que tinha mais tempo livre. Também era a única pessoa no laboratório além de mim que tinha o conhecimento técnico necessário sobre imagem por ressonância magnética.

"Andrew, você quer fazer isso?"

"Claro que sim!"

"Sem querer ser desmancha-prazeres", disse Lisa, "qual é a questão científica?"

Existem dois tipos de experimentos em ciência: expedições de pesca, nos quais você começa a coletar dados sem uma ideia clara de quais são as perguntas certas, e experimentos baseados em hipóteses, nos quais você começa com uma pergunta específica para responder. Todo estudante do ensino médio reconheceria este último como a base do *método científico*. A maioria das pessoas pensa que experimentos baseados em hipóteses são a única maneira de ocorrer progresso científico. E os periódicos científicos têm forte preferência por experimentos baseados em hipóteses.

A receita para o experimento típico baseado em hipóteses é simples: pegue uma teoria científica bem aceita. Encontre algum aspecto minúsculo dessa teoria que ninguém tenha verificado antes. Faça um experimento que comprove tal aspecto e apoie a teoria como um todo. Publique.

Esses experimentos rendem uma leitura fácil e são uma maneira infalível de publicar os resultados, produzindo um currículo que garantirá promoções e estabilidade em uma universidade. Experimentos desse tipo também são populares entre as agências de financiamento porque o risco de fracasso é mínimo. Pela minha estimativa, quase todas as pesquisas publicadas se enquadram nessa arena.

Só que experimentos baseados em hipóteses são incrivelmente tediosos. Na maioria das vezes você nem precisa ler o experimento para saber que os cientistas provaram o que basicamente já sabiam. Se você já tem uma hipótese bem aceita, já conhece os aspectos mais interessantes da questão científica, e os resultados experimentais quando muito vão incrementar o conhecimento. É claro que, se a hipótese se mostrasse errada, seria realmente interessante. Mas tais resultados são quase impossíveis de publicar, porque ninguém acredita neles.

Em resposta à pergunta de Lisa, eu disse: "Essa é uma expedição de pesca. É uma ideia em busca de uma questão".

Andrew franziu a testa, claramente preocupado com o conflito que isso causaria em sua pesquisa de dissertação. O currículo padrão de qualquer programa de pós-graduação em ciências incute nos alunos a importância de ter uma hipótese clara para suas pesquisas. Mas eu não tinha hipótese para o Dog Project. Não tinha ideia de como faríamos isso ou de quanto tempo levaria. Para ser franco, era provável que nem desse certo.

"Andrew", eu disse, "o Dog Project será de alto risco. Mas vai ser um arraso, e garanto a você que, se der certo, seremos os primeiros a ter conseguido isso."

"Estou dentro", disse ele. "Mas vamos ter que sedar os cachorros?"

"Por que faríamos isso? Se estiverem sedados, não saberemos o que estão pensando."

"Então eles estarão completamente acordados?", perguntou Lisa.

"Terão que estar", respondi. "Assim como os humanos."

Na época nenhum de nós percebeu o quanto de trabalho havia pela frente. Não sabíamos quais seriam as dificuldades técnicas, considerando que o cérebro dos cães é muito menor que o humano. Nem tínhamos começado a pensar nos experimentos que poderíamos tentar.

Àquela altura, tudo era acadêmico. Antes que pudéssemos ir mais longe, teríamos que descobrir como treinar um cão para entrar na máquina de ressonância magnética.

4

Passinhos de cachorrinho

Embora Callie já estivesse em casa fazia mais de um ano, eu não estava totalmente acostumado a ela.

Eu nem sequer tinha certeza se gostava dela.

Kat sabia o quanto eu havia amado Newton. Quando ela e as meninas foram para o abrigo de animais, elas deliberadamente escolheram um cachorro que fosse tão diferente de um *pug* quanto possível. Callie era o *antipug*. *Pugs* são pequenos, encorpados e lentos. Callie era uma máquina de luta, esbelta e miúda. Seus músculos ondulavam sob sua fina cobertura.

Enquanto o rosto de Newton estava fixado em uma expressão permanente de palhaço, Callie estava sempre em alerta máximo. Sua cabeça era como um periscópio, girando constantemente para trás e para a frente em busca de presas. Embora fosse bastante amistosa, sua postura decepcionava a maioria dos cães do bairro.

O forte impulso de Callie trouxe muitas dificuldades para Helen e Maddy. Sempre que Callie matava um esquilo, as meninas a repreendiam por sua crueldade. Para piorar a situação, Callie não era fofinha. Não gostava de sentar-se no colo. Ela certamente pularia no sofá, mas então ela se enroscava como um gato do outro lado – nas redondezas, mas sem deixar ser tocada.

Sentia falta do meu ritual de dormir com Newton. Ele se escondia debaixo das cobertas, procurando refúgio na minha axila, e eu fingia protestar. Embora Callie quisesse dormir na cama, seu constante estado de alerta jamais desligava. Ela assumiria uma posição ao pé da cama, de frente para a porta, de olho em possíveis intrusos ou criaturas comestíveis. Qualquer tentativa de movê-la libertava a fúria de um saco de pelos que rosnava e tentava nos morder. Ela não se interessava pela minha axila.

Havia um centro de treinamento de cães em um *shopping center* perto da nossa casa. Chamava-se Terapia Abrangente para Pets – TAP, abreviado. Pouco depois de Kat adotá-la, inscrevemos Callie em um curso básico de obediência.

TAP foi ideia de Mark Spivak, que a fundou em 1992. Eu conheci Mark quando levamos Lyra para o treinamento de obediência, em 2005. Mark não é o típico treinador de cães. Ele se formou em Economia na Universidade da Pensilvânia e, em seguida, obteve MBA na Universidade da Califórnia, em Berkeley. Mark atuou em torno da indústria de semicondutores em Bay Area por um tempo, mas nunca se encaixou bem no mundo do gerenciamento. Depois que se mudou para Atlanta, ele e seu pastor alemão, Topper, começaram a participar de competições de agilidade para aliviar parte de seu estresse no trabalho. Eles se saíram bem, e Mark começou a ajudar amigos com problemas de treinamento de cães em suas horas vagas. Dentro de alguns anos, decidiu entrar de cabeça no negócio de treinamento de cães, trabalhando com isso em tempo integral.

Mark era um cara que não gostava de bobagens. Ele empregou várias escolas de pensamento sobre o treinamento de cães, escolhendo os métodos mais apropriados para cada cão e dono. Enquanto favorecia métodos de treinamento positivos, ele reconhecia que a punição também era necessária de tempos em tempos.

Mesmo que eu ainda não estivesse emocionalmente ligado a Callie, gostava de trabalhar com ela na aula de obediência de Mark. Lyra também participara dessas aulas, mas nunca teve o nível de intensidade demonstrado por Callie. Callie não era afetuosa e meiga, mas era preciso respeitar sua ética de trabalho. Não havia treinamento suficiente para ela. Ela faria qualquer coisa por um pedaço de cachorro-quente. Fiquei espantado com como aprendeu comandos básicos como "sentar", "ficar" e "vir" em apenas algumas tentativas. Os professores da TAP gostavam de usar Callie como exemplo, porque ela os observava com atenção e trabalhava incansavelmente por um agrado.

Como Mark era o único treinador de cães que eu conhecia, fazia sentido abordá-lo com a ideia de treinar cães para fazer uma ressonância magnética. Ele adotou uma abordagem quase acadêmica para o treinamento de cães, então, eu esperava que ele achasse a ideia de escanear o cérebro dos cães algo interessante para se fazer por diversão.

Para minha satisfação, Mark concordou em marcar um encontro.

O estudo moderno do comportamento canino começou com o herói de todos os biólogos, Charles Darwin. Em *A expressão das emoções no homem e nos animais*, Darwin dedicou grande atenção aos cães – como proprietário de um, seu estudo sobre o comportamento canino não exigia uma viagem às Ilhas Galápagos. O que Darwin entendeu e o que todo proprietário de cães sabe – mas muitos cientistas e pesquisadores parecem ter esquecido – é que os cães têm um conjunto de expressões e linguagem corporal muito rico. Darwin não teve problema em discernir alegria, medo e raiva nos cães. Ele estava preocupado principalmente em observar a expressão dessas emoções, não com a intenção de treinar esses animais inteligentes, mas sim para entender como as emoções humanas evoluíram.

Foi o famoso fisiologista russo Ivan Pavlov que inaugurou a era moderna do treinamento de cães. Ao contrário de Darwin, Pavlov não tinha nenhum amor pelos cachorros. Estava apenas usando-os para estudar o sistema digestivo. O problema era que seus cachorros começavam a salivar antes de serem alimentados, e isso atrapalhou a coleta de dados. Independentemente do que você pensa sobre Pavlov, seu experimento "fracassado" levou à descoberta mais importante da psicologia do século 20, pela qual foi agraciado com o Prêmio Nobel em 1904. Desde então, sua descoberta dominou completamente as teorias de treinamento de cães.

A descoberta de Pavlov é chamada *condicionamento clássico* (embora algumas pessoas o honrem chamando de condicionamento pavloviano). Durante o período em que Pavlov fazia seus experimentos, os fisiologistas pensavam em todo o sistema nervoso como um conjunto de reflexos, como o movimento involuntário da perna quando um médico bate no seu joelho. Acreditavam que todos os comportamentos, mesmo os mais complexos, eram basicamente uma série de ações reflexivas. Um reflexo poderia ser dividido em duas partes: o estímulo incondicionado (EI) e a resposta incondicionada

(RI). Para o reflexo do joelho, o EI é o martelo que bate no tendão patelar, e a RI é a contração do quadríceps que resulta na elevação da perna para cima. Bem simples.[4]

Pavlov percebeu que seus cães respondiam automaticamente, por meio de reflexos, que não eram respostas naturais. Cães famintos sempre vão salivar diante da comida. Essa é uma resposta natural e, portanto, incondicionada. Mas, como Pavlov descobriu, se algo neutro, como o toque de um sino, precede regularmente a apresentação da comida, o cão começará a salivar ao som do sino. O sino, um estímulo neutro, torna-se um estímulo condicionado (EC), e a salivação que ele provoca é, agora, uma resposta condicionada (RC). As terminologias *incondicionado* e *condicionado* referem-se a estímulos e respostas que são naturais ou criados pelo experimentador.

Por si só, o condicionamento clássico não diz muito sobre o treinamento de cães. As respostas são tão simples que não constituem algo sequer parecido com um comportamento, e é difícil imaginar juntar uma série dessas respostas condicionadas em algo tão simples como "sentar". É aqui que entra a "aprendizagem instrumental".

Na aprendizagem instrumental, o animal deve ter um comportamento intencional. Enquanto o condicionamento clássico treina uma resposta involuntária como a salivação, a aprendizagem instrumental visa treinar uma ação voluntária. A aprendizagem instrumental é a base de todo método de treinamento de cães já publicado. Ensinar o comando "sentar" baseia-se na aprendizagem instrumental. Aqui o estímulo é um sinal de mão ou uma palavra falada, e o comportamento desejado é o ato de sentar-se. Quando o cachorro se senta e é imediatamente recompensado, ele faz uma associação entre o ato e a recompensa. Na aprendizagem instrumental, o elo entre estímulo (sentar) e agir (sentar-se) é chamado de relação estímulo-resposta (ER). O aprendizado instrumental também é chamado de condicionamento operante, porque o animal aprende a "operar", ou a afetar, o ambiente.

Os psicólogos classificaram quatro tipos diferentes de aprendizado instrumental com base no fato de um comportamento ser recompensado ou punido. Uma recompensa é algo de que o animal gosta, como comida ou elogios. Punição é algo de que ele não gosta, como um barulho alto. Recompensas e punições podem ser dadas ou omitidas, o que leva aos quatro tipos de aprendizado. Por exemplo, a remoção de algo desagradável reforça o comportamento, então chamamos de reforço negativo, *negativo* significando "remoção". O reforço positivo vem da entrega de uma recompensa, enquanto a punição positiva vem da entrega de algo desagradável. A combinação final, a punição negativa, ocorre quando você tira algo agradável do animal. A punição negativa é uma estratégia popular entre pais que tentam conter comportamentos indesejáveis em seus filhos. A suspensão de privilégios como o uso do computador é uma punição negativa clássica e deveria, de acordo com a teoria, diminuir a frequência do comportamento ofensivo.

O uso da aprendizagem instrumental para mudar o comportamento é amplamente referido como *behaviorismo*. O psicólogo Edward Thorndike descreveu muitas de suas leis básicas. A *lei de efeito* afirma que os relacionamentos de E–R são determinados pelo quanto o animal gosta da recompensa. Quanto mais ele gosta, mais forte é o *link* E–R. A *lei de exercício* de Thorndike afirma que um relacionamento de E–R é fortalecido pelo uso e enfraquecido pelo desuso. As leis de Thorndike foram ainda mais elaboradas pelo lendário psicólogo B. F. Skinner, que achava que todo comportamento poderia ser reduzido a um conjunto de relações E–R. Ele é mais famoso pela associação à caixa Skinner, um dispositivo que treina automaticamente ratos ou pombos para aprender comportamentos.

Depois da descoberta básica de Pavlov e das elaborações de Thorndike e Skinner, o behaviorismo floresceu. Atingiu seu apogeu de popularidade nos anos 60, quando psicólogos e psiquiatras começaram a aplicar essas teorias da aprendizagem animal ao comportamento humano. Técnicas que visavam tudo, desde o fim do tabagismo até o aprendizado de como fazer amigos, estavam todas enraizadas na tradição behaviorista. Embora parte de sua importância tenha diminuído nos últimos anos, as técnicas behavioristas continuam sendo as "terapias da fala" mais comumente usadas para depressão e ansiedade em humanos, que é chamada de terapia cognitivo-comportamental (TCC).

Quando se trata de cães, muito tem sido dito e escrito sobre métodos de treinamento positivos e negativos. Embora todos eles tenham raízes na tradição behaviorista, diversas escolas de pensamento trouxeram diferentes fases em recompensas, como comida e elogios, e punições como ruídos, repreensão ou dor. Não há dúvida de que a administração de um castigo pode causar efeito imediato no comportamento de um cão. O que não está claro é se o cão realmente aprende algo com isso. A criança que perdeu seus privilégios de TV pode ter aprendido a não repetir sua ofensa, ou pode simplesmente ter aprendido a não ser pega.

Essa é a limitação do behaviorismo: nunca se pode verdadeiramente saber por que uma pessoa ou animal faz alguma coisa. Você só pode observar o efeito de uma recompensa ou punição e se ela aumenta ou diminui determinado comportamento. Na verdade, behavioristas *hardcore* ignoram completamente o que se passa na cabeça de um animal. Como o comportamento é a única coisa que importa para um behaviorista, pensamentos e emoções subjetivas tornam-se irrelevantes. Mas se você já tentou educar um cão a não ter determinado comportamento ruim – mastigar móveis ou sapatos, por exemplo – sabe a frustração que é tentar entender por que nenhuma das punições está funcionando. Quantos donos de cães gritam em vão: "Por que você está fazendo isso?".

Eu esperava que, algum dia, o Dog Project pudesse responder a essa pergunta.

Até esse dia chegar, Mark e eu precisávamos descobrir um protocolo de treinamento baseado em métodos comportamentalistas convencionais que levariam um cachorro a subir de bom grado numa máquina de RM.

Encontrei Mark no TAP. As instalações de treinamento são basicamente uma sala grande. O piso de linóleo facilita a limpeza dos inevitáveis "acidentes". Com a exceção de uma gangorra, algumas rampas e arcos para treinamento de agilidade, a sala é bastante desprovida de móveis. A decoração espartana minimiza as despesas com os danos causados pelos cães.

Mark vestia seu traje padrão para treinamento de cães: uma camiseta polo com o logotipo da TAP, calções esportivos e tênis de corrida. Eu o vira apenas no modo de treinamento de cães, por isso fiquei surpreso quando me cumprimentou com tanto entusiasmo pelo Dog Project.

Desde o início, concordamos que o treinamento deveria ser feito estritamente com reforço positivo. Não seria correto utilizar punição para ensinar um comportamento tão estranho, que não beneficiaria diretamente nem os cães nem seus donos. Tudo no Dog Project deveria ser divertido. Diversão para os cães e diversão para seus proprietários. Mark sugeriu que seria muito mais fácil se pudéssemos utilizar os comportamentos naturais dos cães.

Comportamentos naturais são aqueles que os cães fazem sozinhos. Andar, sentar e deitar são comportamentos naturais. Se o cão tem um impulso de caçar pequenos animais, o rastreamento também pode ser considerado um comportamento natural. Os *retrievers* foram originalmente criados para recuperar patos, então eles têm um impulso natural para carregar objetos na boca e, pelo menos em teoria, devolvê-los aos donos. Para alguns cães, nadar é um comportamento natural. Para outros, a água deve ser evitada a todo custo.

Podemos seguramente dizer que entrar em uma RM não é um comportamento natural do cão. A maioria dos humanos também não gosta disso. Mas Mark explicou como poderíamos treinar uma sequência de atos que seriam mais naturais para o cachorro.

"A maior parte do que o cão tem que fazer é em posição 'senta-abaixado', certo?"

Nessa posição, o cão se deita e fica nessa posição enquanto o condutor permanece a alguma distância.

"Sim", eu respondi.

"Deitar é um comportamento natural, então é fácil ensinar com reforço positivo. O que mais o cachorro precisa fazer?"

"Ele precisa manter a cabeça totalmente imóvel", eu disse. "Quão imóvel?"

"Menos de dois milímetros de movimento por períodos de até vinte segundos."

Tudo dependia de a cabeça ficar parada. Qualquer movimento tornaria os dados da RM inúteis. Quando fazemos imagens em humanos, o sujeito se deita de costas com a cabeça cercada por almofadas de espuma. A maioria das pessoas consegue ficar parada, e a espuma facilita. Mas um cachorro pode não gostar de ter sua cabeça envolta em espuma. Talvez algo menos sufocante fosse necessário.

"Poderíamos fazer um descanso para o queixo do cachorro", sugeri.

Mark gostou da ideia. "Quando treinamos cães para rastreamento, muitas vezes ensinamos a eles um comando de 'toque', em que eles tocam o nariz no alvo. Poderíamos fazer o mesmo para ensinar um cachorro a 'tocar' o descanso de queixo."

Cães usam o nariz para tocar e cheirar tudo. Esse é um exemplo brilhante de como transformar um comportamento natural em um treinamento. Ficamos apenas com a questão do barulho. As ressonâncias magnéticas são tão altas quanto uma britadeira.

Mark enfatizou a importância da escolha dos cães para o experimento. "Nós precisaremos selecionar cuidadosamente os primeiros cães com as características de temperamento corretas", ele disse. Com os cães certos, o treinamento seria fácil. Certamente não queríamos forçar o cão a participar contra sua vontade. Mesmo se pudéssemos treinar o cão para ficar na ressonância magnética, se ele não quisesse estar lá, tudo o que iríamos capturar seria o cérebro de cachorro ansioso.

Como a mesa de pacientes da RM é alta, o cão ideal não teria medo de altura, muito menos de espaços fechados. Como provavelmente estudaríamos vários cães, os candidatos ideais precisavam ser sociáveis. Como haveria pessoas diferentes no *scanner* – incluindo técnicos de RM, veterinários e pessoas do laboratório –, os cães também não deveriam ter medo de estranhos.

Durante a primavera e o verão, ocorrem tempestades regulares na Geórgia. Não sei se há uma proporção maior de cães com fobia a trovões no sudeste, mas em Atlanta isso é muito comum. Mesmo que a RM não soe como um trovão, a existência de uma associação negativa a ruídos altos pode dificultar o treinamento. Desde que o cão não tivesse fobia a ruídos, poderíamos gradualmente aclimatá-lo ao tipo específico e ao volume de ruído que a ressonância magnética faz.

"O cão deve ser calmo", disse Mark. "E não deve ter medo de ambientes novos."

Eu não tinha financiamento para o projeto. Todos estavam trabalhando como voluntários, mas ainda custava quinhentos dólares por hora para alugar a ressonância magnética. Eu tinha uma pequena quantia de fundos de pesquisa, mas, para manter os custos baixos, não podíamos alugar tempo do *scanner* só para que os cachorros se acostumassem com a sala. Se pudéssemos encontrar cães que naturalmente permanecessem calmos em situações novas, nossas chances de sucesso aumentariam quando chegasse a hora de fazer os exames.

"O traço mais importante", disse Mark, "é o impulso motivacional."

"Do que você está falando?", perguntei.

"O cão tem que gostar do treinamento. Se ele não estiver se divertindo, é muito mais difícil moldar comportamentos."

Primeira lei de Thorndike. Quanto mais o cachorro gosta de algo, mais forte é o relacionamento com o E–R.

"Você conhece algum cachorro que atenda a todos esses critérios?", perguntei.

"Conheço alguns que competem em testes de agilidade", disse ele. "Mas os donos podem ser um problema. Se o dono não estiver motivado para fazer o treinamento, o cachorro também não estará. Muitas pessoas no mundo dos cães têm suas próprias ideias sobre o treinamento. Para que funcione, é preciso que o protocolo de treinamento seja consistente entre os cães e os proprietários."

Eu não havia pensado sobre o lado humano dessa equação. Conseguir que as pessoas façam o que você quer é muito mais difícil do que fazer com que cães obedeçam. Se Mark pudesse fazer todo o treinamento, isso resolveria o problema, mas ele ainda tinha uma empresa para gerir. E se eu, ou Andrew, aprendêssemos a treinar cães? Eu me perguntei se Callie seria capaz. Ela certamente não era calma, mas estava altamente motivada pela perspectiva de comer cachorros-quentes. A ideia de treinar Callie para a ressonância parecia improvável, então mantive esse pensamento em segredo.

Mark estava em treinamento de cães havia muito tempo e conhecia muitos cães e donos em Atlanta.

"Tenho algumas pessoas em mente", disse ele. "Deixe-me falar com eles e volto a falar com você."

Eu estava animado. Não achava que alguém que trabalhava com cachorros levaria a sério a ideia de escanear os cérebros dos cães. Mas Mark não era um treinador típico. Para minha surpresa, ele estava tão empolgado com o Dog Project quanto eu. Depois de vinte anos treinando cães, ele estava se sentindo um pouco esgotado. Conforme me contou mais tarde, o Dog Project renovou seu entusiasmo por seu trabalho, abrindo uma nova dimensão na melhoria da comunicação entre cães e humanos.

5

O dilema do *scanner*

Embora Andrew e eu estivéssemos certos de que poderíamos descobrir como digitalizar o cérebro de um cachorro, tínhamos desconsiderado um pequeno detalhe, embora importante: o local.

O Dog Project precisava ter uma sede.

O laboratório ficou ocupado com a "grande questão" – descobrir o que se passa no cérebro de um cão. Detalhes como o tipo de *scanner* cerebral, ou onde encontrá-lo, eram apenas isso: detalhes. Até esse ponto, não havia me preocupado com essa questão. A melhor parte de ser um cientista é quando as ideias estão chegando tão rápida e furiosamente que você não consegue sequer escrevê-las. Você não tem tempo para se preocupar com os detalhes. Eles apenas atrapalham. Mas eventualmente tivemos que confrontar os aspectos práticos de levar essa ideia adiante. E o primeiro detalhe foi encontrar uma instalação de RM que permitisse levar cachorros para o *scanner*.

O Centro Nacional de Pesquisa de Primatas de Yerkes, localizado a cerca de uma milha do *campus* principal da Emory, foi a nossa primeira escolha para o *scanner* de RM. Aninhado em um vale ladeado por pinheiros do sul, Yerkes parecia o local ideal. Estava a uma curta distância de carro do laboratório, então seria possível mover facilmente nosso equipamento para lá. E como ficava longe da rua principal, também era um local quieto e pacífico. A última coisa que queríamos era assustar um possível paciente com uma viagem por um cruzamento movimentado. Do ponto de vista de um cachorro, imaginei que Yerkes se parecesse com um passeio na floresta. Yerkes também se especializou no estudo de animais – principalmente de macacos. Andrew e eu nos parabenizamos um ao outro por nossa boa sorte. Tínhamos a ideia de escanear o cérebro de um cão totalmente desperto, e uma das principais instalações para o estudo de animais estava bem no nosso quintal. Na verdade, existem apenas oito instalações como essa nos Estados Unidos. Yerkes tinha até um aparelho de ressonância magnética dedicado especificamente ao estudo de animais. Um amigo e colega meu, Leonard Howell, era diretor do Centro de Imagens de Yerkes e nos convidou a dar uma olhada em como eles escaneavam cérebro de macacos.

Embora o centro de RM da Yerkes seja incomum no sentido de que foi propositalmente construído para o estudo do funcionamento cerebral de primatas, na verdade, não é tão incomum ter esse aparelho em uma escola de veterinária ou mesmo em um hospital veterinário de alta tecnologia. Todo e qualquer teste de diagnóstico médico realizado em humanos também está sendo realizado em animais. O desafio de obter uma ressonância magnética de um animal, no entanto, é que o paciente deve permanecer absolutamente imóvel. Em um ambiente veterinário, isso significa sedar o animal com medicação. Mas sedar um animal significa que você não pode mais estudar como o cérebro dele funciona.

Leonard foi pioneiro em uma nova abordagem para estudar o cérebro de macacos. Em vez de sedar os macacos, ele descobriu como escanear seus cérebros enquanto estavam totalmente acordados. Isso foi um grande avanço para os neurocientistas. Ao administrar drogas que deixam o sujeito inconsciente, há uma significativa mudança na função cerebral. Ainda não se compreende totalmente como essa mudança acontece. Embora o estado inconsciente seja interessante por si só, a maioria dos neurocientistas investe seu tempo em tentar entender como o cérebro consciente trabalha. Ter sujeitos conscientes, animais ou humanos, é determinante.

Trabalhar com macacos é perigoso. Macacos são relativamente agressivos. Não do tipo "Se você não me der comida, vou te ignorar", mas sim "Se você não me der comida, eu vou arrancá-la da sua mão, comer seu dedo e atacar seu rosto para machucar". Essa é a natureza deles e isso representa certos problemas logísticos para escanear seus cérebros, sobretudo se eles permanecerem totalmente despertos.

Além disso, como estão intimamente relacionados aos seres humanos, doenças podem passar entre as espécies com muita facilidade. Por exemplo, acredita-se que o HIV, o vírus que causa a AIDS, tenha se originado em chimpanzés africanos. Os macacos abrigam uma espécie do vírus de herpes que é fatal para os humanos, que pode ser transmitida se, por exemplo, um macaco cuspir em você, o que fazem com bastante frequência. Macacos também precisam ser protegidos de nós. Se os seres humanos podem pegar doenças de macacos, o oposto também é verdade. Macacos são particularmente suscetíveis à tuberculose. Por todas essas razões, os cientistas devem ter muitas precauções de segurança ao trabalhar com essa espécie.

Andrew e eu passamos por protocolos especiais para poder ver como Leonard e sua equipe escaneavam os cérebros dos macacos enquanto estavam acordados. Depois de nos registrarmos no balcão de segurança, fomos escoltados por uma série de portas fechadas e colocados em um vestiário.

"Você precisa se vestir", instruiu a assistente de Leonard. "Desse ponto em diante, todos devem estar totalmente protegidos. Isso significa a roupa, máscara facial e protetor ocular."

Os chamados "escudos dos olhos" cobriam nossos rostos completamente e eram claustrofóbicos. Também tinham uma tendência a ficar embaçados. As máscaras faciais eram do tipo cirúrgico. A combinação do escudo e da máscara tornou o discurso tão eficaz quanto falar com um travesseiro na boca.

Nossa primeira parada foi no laboratório de treinamento. Três espaços quadrados com espaço suficiente para um animal em cada um deles enfileiravam-se em uma parede. Elas se assemelhavam a pequenas geladeiras, mas a alça de abertura e os acabamentos sugeriam um espaço extremamente limpo.

"Estas são as caixas de treinamento", disse o assistente. Abrir uma revelou um interior estéril com paredes brancas esmaltadas e um cubículo para dispositivos permitindo que tubos e fios pudessem serpentear para diversos equipamentos de monitoramento.

Do outro lado da sala ficava um tubo vertical construído com material para encanamento de PVC. Com cerca de trinta centímetros de diâmetro e cerca de um metro de altura, a extremidade superior estava coberta de acrílico transparente. Uma abertura com cerca de dez centímetros foi cortada no centro da tampa e uma prateleira de plástico foi colocada abaixo dessa abertura.

O assistente explicou: "Este é o dispositivo de restrição. O macaco tem um colar em volta do pescoço que se encaixa exatamente nesta abertura. Com a cabeça saindo para fora, o queixo fica repousado na prateleira".

Andrew apontou para um par de mangueiras que estavam presas à parte inferior do dispositivo.

"Para que servem essas mangueiras?"

"Para a drenagem dos resíduos."

Visualizando a imagem em minha mente, perguntei: "Como você consegue fazer com que os macacos entrem lá?".

O assistente apontou para uma haste de metal na parede. "Isso é fixado na coleira deles, e então podemos direcioná-los para o dispositivo a uma distância segura."

Até agora, nada parecia apropriado para o Dog Project. Fiquei em silêncio, porém ansioso para aprender qualquer coisa que pudesse ser útil para nós. O dispositivo impedia que o macaco escapasse, mas não ficou claro o que manteria a cabeça imóvel.

O assistente puxou um bloco de espuma cor-de-rosa de uma prateleira.

"É assim que imobilizamos a cabeça", explicou ele. "Primeiro, fazemos um molde da cabeça do macaco, que é então usado para fazer um molde de gesso. A partir disso, usamos um material gelatinoso para fazer um molde macio, que se encaixa perfeitamente em torno de sua cabeça. Então, nós cortamos buracos para os olhos, nariz e boca. Isso fica preso ao dispositivo de restrição."

"E os macacos cooperam com isso?", perguntei.

"Eles aprendem por meio do reforço positivo", respondeu ele. "Nós moldamos seu comportamento por meio de recompensas. Leva cerca de seis meses para treinar um macaco para entrar no dispositivo de contenção. Isso é necessário para evitar o estresse, o que faria mal para eles e também comprometeria os resultados."

"Para que servem as caixas?", Andrew perguntou.

"Essas são as caixas condicionadoras. Uma vez que os macacos tenham sido treinados para entrar no dispositivo de contenção, todo o equipamento é colocado na caixa. Então, nós os treinamos com luzes e sons."

"Treinam para quê?", perguntei.

"Para ficarem viciados em drogas."

Certo. O grupo de pesquisa de Leonard estudava a biologia da dependência de drogas. Para entender o vício, é preciso observar todo o processo, desde a primeira vez que alguém usa uma droga até se tornar um viciado. Obviamente, fazer uma pessoa se viciar em drogas é algo antiético, então, Leonard usa os macacos como substitutos.

O assistente continuou. "Uma vez que eles estejam treinados para associar as pistas às drogas, levamos todo o equipamento para o aparelho de ressonância magnética, para observar o que está acontecendo em seus cérebros enquanto estão desejando drogas. Você está pronto para ir até o *scanner*?"

Eu mal podia esperar para sair daquele lugar.

Como o forte campo magnético da RM afeta os equipamentos de informática, a sala de controle é separada da sala principal do *scanner*. Quando entramos, uma jovem usando uma vestimenta cirúrgica olhava fixamente para uma tela de computador com várias imagens cerebrais.

Ela não estava contente em receber visitas.

"Quem são vocês?", vociferou para mim. "Vocês fizeram o teste de tuberculose?"

Eu sinceramente não conseguia me lembrar de quando fizera o último exame de tuberculose. Felizmente, Andrew a distraiu.

"Eu fiz!", ele anunciou alegremente.

O assistente de Leonard explicou que estávamos lá para observar os exames de ressonância magnética em macacos. Os animais que estavam sendo examinados naquele dia eram de um laboratório de pesquisa diferente. Como não haviam passado pelo treinamento comportamental de Leonard, os macacos foram sedados para facilitar o processo. Quando entramos, havia um macaco cercado por três técnicos em veterinária no *scanner*, ligado a monitores que relatavam sinais vitais como frequência cardíaca, respiração e temperatura corporal. Outro macaco estava em um carrinho, recuperando-se da anestesia. Eu quase passei direto, até que ele começou a se contrair em espasmos musculares enquanto saía da sedação.

Aproveitamos a oportunidade para explicar o que estávamos tentando fazer no Dog Project. Os técnicos veterinários não ficaram nada entusiasmados.

"Você vai ter que monitorá-los", disse um deles. "Sinais vitais e temperatura corporal central."

"Como se faz isso?", Andrew perguntou.

"Com uma sonda retal."

"Por que faríamos isso a um cachorro que nem estará sedado?", perguntei.

"É uma política operacional padrão monitorar completamente todos os animais durante um procedimento", ela respondeu.

"Mas não se trata de um procedimento", protestei. "Os cães serão treinados para entrar no *scanner* voluntariamente."

Ela não estava botando fé nisso. "Quem vai ficar com os cachorros?"

"Nós, o treinador de cães e o dono."

Ela abanou a cabeça. "Acredito que com vocês dois não haverá problemas, porque são funcionários da universidade, mas visitantes externos não podem entrar."

Embora estivesse claro que não havia como convencer essa mulher, eu continuei. "Olha, você ofereceria seu cachorro para estar em um experimento sem estar presente?"

"Não, acredito que não. Mesmo assim, você terá que convencer as comissões de análise."

Andrew e eu tínhamos visto o suficiente. Surpreendeu-me o fato de que uma das principais instituições de pesquisa animal do país não fosse mais encorajadora em relação ao Dog Project. Mas estávamos mais determinados do que nunca a encontrar o lar certo para a realização desse projeto.

Quando cheguei em casa naquela noite, Callie e Lyra me receberam com uma atenção fora do comum. Em vez de pular para cima e para baixo como costumavam fazer, elas cheiraram meus pés atentamente. Enquanto caminhava pela casa, seguiram meu rastro a uma distância segura, concentrando-se em meus pés.

Elas sabiam. Eu havia trazido o cheiro dos macacos para casa.

Deixando de lado os problemas logísticos, percebi que não havia como fazer o escaneamento em Yerkes com todos aqueles macacos.

Cães ressonantes

Quando Helen e Maddy entraram no jardim de infância, comecei uma tradição de visitar suas salas todos os anos para ensinar as crianças sobre o cérebro e talvez transmitir um pouco da empolgação de descobrir como ele funciona. Na primeira vez que fiz o "Dia do Cérebro" na escola, a diretora e eu tivemos uma conversa franca sobre o que eu planejava discutir.

"Você vai enfatizar a importância da saúde do cérebro?", ela perguntou. "Vai explicar às crianças sobre a importância do uso de capacetes nas bicicletas e como as drogas danificam o cérebro?"

"Sim, claro", eu disse. "O que você acha se eu trouxer um cérebro para a escola?"

"Você quer dizer um modelo de plástico?"

"Não. Um cérebro humano preservado."

"Em um pote?", ela perguntou.

"Em um balde", expliquei. "Nós temos um conjunto de cérebros para aulas na universidade que eu posso trazer. As crianças podem tocá-lo."

Um olhar de fascinação passou pelo rosto da diretora, imediatamente substituído por uma expressão de consternação.

"Precisaremos mandar para casa um bilhete de permissão."

Ela não precisava ter se preocupado. Nenhum dos pais fez qualquer objeção.

As crianças adoravam o Dia do Cérebro. Até mesmo alguns professores entraram na sala de aula para tocar o cérebro. Não sei se os alunos prestaram muita atenção no que eu disse daquela vez, mas certamente ficaram impressionados quando peguei o balde e retirei um cérebro humano molhado em tamanho natural. Metade da turma disse "Legal!", enquanto a outra metade disse simultaneamente "Que nojo!".

Na época do Dog Project, eu já havia feito o Dia do Cérebro por sete anos seguidos. Maddy estava na quinta série, seu último ano na escola primária, e Helen havia começado o ensino médio. As perguntas que os alunos faziam sempre caíam em um padrão previsível. Os mais inteligentes faziam perguntas como "De onde vêm os sonhos e as emoções?". Outros só queriam apertar os dedos o mais longe que podiam no cérebro. No último ano que fiz o Dia do Cérebro na escola primária, um menino pequeno levantou a mão e fez uma pergunta que eu nunca ouvira antes.

"Você já estudou o cérebro de um cachorro?", ele perguntou.

O professor repreendeu o menino por fazer perguntas bobas.

"Na verdade", eu interrompi, surpreso com a coincidência, "estamos prestes a fazer exatamente isso."

Com a passagem de Helen para o ensino médio, não haveria oportunidade de trazer os cérebros para sua aula de ciências. A ciência do sexto ano dedicava-se à geologia, meteorologia e astronomia, e a biologia não retornaria até a sétima série.

Kat e eu frequentamos escolas públicas e acreditamos fortemente na educação pública. No entanto, como acontece em muitas cidades, a qualidade das escolas públicas em Atlanta varia muito. As escolas frequentadas por Helen e Maddy eram sólidas, mas tinham a difícil missão de atender às necessidades de todas as crianças de um bairro muito diversificado. Muitas crianças não podiam comprar o almoço e muitas tinham necessidades especiais.

No final de sua primeira semana de aulas no ensino médio, Helen trouxe para casa seu livro de ciências, aparentemente compilado por uma equipe de burocratas que tiveram uma *overdose* de sua Ritalina diária. Todas as páginas estavam cheias de fotos coloridas, garantindo que até mesmo o aluno mais concentrado no texto perdesse o foco. O texto em si não passava de uma ladainha a ser decorada. Embora o distrito escolar vizinho tivesse sido notícia nacional por banir a palavra "evolução" de seus livros didáticos, ainda se detectava um tom paternalista por toda parte. Mais do que qualquer coisa, eles sugeriam dúvidas às ideias científicas.

Helen sofria. Ainda que sempre tenha sido diligente com o dever de casa, suas notas de testes e provas estagnaram em torno de 7,5. Kat e eu não queríamos ser pais repressores, mas não podíamos deixar Helen se afundar. Estava na hora de uma reunião de pais e professores.

O professor de ciências de Helen era um homem agradável que se assemelhava a Ed Helms. A sala de aula correspondia às minhas expectativas: mesas de laboratório de ardósia arrumadas em fileiras bem alinhadas, uma torneira química com um lava-olhos no caso de algum acidente, armários cheios de espécimes de rocha, uma grande tabela periódica na parede.

Depois de uma agradável troca de cumprimentos, passei para o motivo da nossa reunião. "Estamos preocupados em como Helen está se saindo em ciências."

Ele puxou uma planilha para nos mostrar.

"Helen é uma boa aluna", disse ele. "Ela faz todo o dever de casa."

"Sim", eu disse, "mas não parece ter clareza sobre a matéria que ela deve estudar."

"Os alunos veem a matéria várias vezes", explicou ele. "Eles ouvem sobre isso na aula. Eles leem no livro. E então nós revisamos tudo."

Isso pode ter sido em parte verdade, mas tendo ajudado Helen com o dever de casa e depois visto o que foi cobrado em cada prova, eu estava cético. Helen estava na turma de ciências do quinto período, e comecei a suspeitar que o professor pudesse ter confundido o que ele havia passado nas aulas do início do dia com aquelas do final.

"Helen disse que a aula é barulhenta e que ela tem dificuldade de ouvir o que você está dizendo."

"No quinto período", ele respondeu, "as crianças têm dificuldade de ficar sentadas." Kat e eu já tínhamos ouvido falar de seu método de fazer as crianças andarem pelo corredor para queimar energia. Talvez isso tenha ajudado alguns alunos a se concentrar, mas tomou um tempo valioso no qual Helen poderia realmente estar aprendendo ciência.

"Podemos movê-la para outro período?", perguntei.

"Podemos verificar, mas isso exigiria uma mudança em todo o cronograma dela."

"Você pode pelo menos movê-la para a frente da classe, para que possa ouvir melhor?"

Acho que ele percebeu que essa seria a maneira menos dolorosa de se livrar de nós.

"Claro, eu posso fazer isso."

Era evidente que ele havia passado por esse tipo de reunião inúmeras vezes antes e que ouvira tudo. Senti uma pequena vitória em notar que nos importávamos com a nossa filha e que não ficaríamos sentados enquanto ela escorregava pelas rachaduras do sistema público de educação.

Quando chegamos em casa, Helen estava em seu quarto fazendo lição de casa. Sentei-me com ela em sua cama. Lyra pulou para se juntar a nós.

"Como foi?", ela perguntou.

"Não muito bem", eu disse.

Um olhar desconcertado passou pelo rosto de Helen.

"O que você fez?"

"Nós tentamos fazer com que você mudasse para um período diferente, mas isso não seria possível. O melhor que conseguimos foi fazer você se aproximar da frente da sala."

Helen assentiu e acariciou a cabeça de Lyra. Lyra esboçou satisfação.

"Eu acho que ele esquece de ensinar parte da matéria no seu período", eu expliquei. "Você terá que fazer um monte de cartões para memorizar."

A ciência é sobre questionar como o universo funciona e descobrir coisas novas, não é memorizar uma série de fatos de um livro didático. A ciência muda constantemente à medida que aprendemos mais sobre o mundo em que vivemos. O que poderia ser mais empolgante do que isso? Me entristeceu o fato de que Helen tivesse que aprender ciência tendo toda a vida dessa matéria sugada.

Helen continuou a acariciar o pelo de Lyra.

"Você acha que Lyra sabe como me sinto?", ela perguntou.

"Eu acho que ela sabe", eu disse. "Mas espero que possamos provar isso por meio do Dog Project."

Lyra dava muito conforto a Helen. Quando as duas se abraçaram, fiquei impressionado com a perfeita simbiose. Sendo um *golden retriever*, Lyra foi aperfeiçoada por gerações de procriação seletiva para conviver com humanos, especialmente crianças. Embora o Dog Project tivesse sido concebido como um esforço para descobrir o que cães como Lyra e Callie estavam pensando, a reação de Helen me lembrou que o relacionamento entre cachorro e homem é uma via de mão dupla. Não poderíamos considerar o cérebro do cão sem levar em conta o efeito dos cães nos seres humanos.

Em um nível superficial, você pode afirmar o óbvio: os humanos gostam de cachorros. Eles trazem companheirismo. Eles atuam como animais de trabalho e utilidade. Eles caçam. Eles protegem. Eles são macios e quentes e são agradáveis contra a pele. Mas, como eu estava tentando explicar a Helen, ciência é perguntar por que as coisas são como são.

O estudo científico do efeito dos cães nos seres humanos tem sido, até pouco tempo, quase inexistente. Florence Nightingale, a matriarca da enfermagem, foi uma das primeiras a defender o papel dos animais na melhoria da saúde humana, escrevendo: "Um pequeno animal de estimação é muitas vezes um excelente companheiro para os doentes, especialmente para longos casos crônicos". Mas foi apenas na última década, quando a terapia assistida por animais se tornou mais aceita como tratamento para doenças humanas, que os pesquisadores começaram a analisar o efeito dos cães nos humanos. Mesmo assim, os resultados foram divergentes. Em primeiro lugar, como você pode conduzir um estudo duplo-cego em que nem o pesquisador nem o paciente sabem qual tratamento está sendo administrado, se um conjunto de pacientes pode brincar com cães enquanto o outro não? Estudos duplo-cegos são o padrão ouro na medicina por causa do conhecido efeito placebo. Por outro lado, no caso de doenças físicas e mentais, até um terço dos pacientes ficará melhor se acreditar que o tratamento que estão recebendo é eficaz, mesmo que seja apenas uma pílula de açúcar.[5]

Demonstrar que cães e animais em geral podem melhorar a saúde humana provavelmente não atenderá à maioria dos padrões médicos de evidência. Isso não significa que animais não ajudem pessoas. Um estudo descobriu que a terapia animal ajudou pacientes hospitalizados com insuficiência cardíaca, diminuindo a pressão sanguínea nos pulmões, uma indicação de quanto fluido está sendo mantido. Outro estudo sugeriu que a terapia com animais reduziu a necessidade de analgésicos. Sobretudo crianças hospitalizadas parecem se beneficiar da terapia com animais de estimação, com reduções acentuadas na dor sentida. No entanto, muitos desses estudos fizeram uso de medidas subjetivas como a dor para chegar a uma conclusão. Os poucos estudos que tentaram analisar os efeitos dos animais usando critérios biológicos humanos, como pressão sanguínea ou níveis de hormônios do estresse, apresentaram resultados contraditórios.[6]

Curiosamente, quando você olha para toda a literatura sobre terapia assistida por animais, os padrões começam a surgir. Dos diferentes animais utilizados na terapia, os cães são os que estão associados aos maiores efeitos benéficos à saúde. Apesar de efeitos positivos terem sido observados na maioria dos grupos etários, as crianças parecem ser as maiores beneficiadas.

Até aquele momento, eu não tinha pensado muito em como cães e humanos eram compatíveis entre si. Mas vendo Helen e Lyra juntos, ficou claro que a cachorra ajudou a acalmar a frustração de Helen e que a cadela gostava de fazer isso, aninhando-se ao lado da menina quando ela mais precisava. Callie era outra história. Ela não era tão assertiva. Até a linguagem corporal dela era diferente. Enquanto Lyra ficava feliz em colocar a cabeça no colo de Helen, Callie preferia se aconchegar nas proximidades, mas sem contato físico. Lyra parecia ser bastante compatível com a personalidade de Helen, mas me surpreendeu o fato de que Callie estivesse mais adequada à minha. Eu não me importava com cachorros que bajulavam você como puxa-sacos. Eu gostava de cachorros que se viam como companheiros.

Em seu livro *E o homem encontrou o cão*, o grande etólogo austríaco Konrad Lorenz escreveu sobre os diferentes tipos de relações entre cães e homens.[7] Lorenz percebeu que a lealdade dos cães não tinha uma contrapartida semelhante nas relações humanas, mas isso por si só não os tornava melhores que as pessoas. Ele acreditava que os cães são "amorais", desprovidos de senso instintivo de certo e errado. As pesquisas modernas contestaram essa afirmação. Por exemplo, a pesquisa do primatologista Frans de Waal mostrou que muitos animais demonstram uma compreensão de justiça.

Lorenz, no entanto, acreditava que o companheiro canino ideal era um "cão ressonante". Ele observou um extraordinário paralelismo na personalidade entre muitos cães e seus donos, às vezes ao ponto de parecerem iguais. De acordo com Lorenz, fortes laços cão–humanos foram criados quando humanos e cães ressoaram entre si.

Certamente Helen e Lyra ressoavam. E, embora Callie fosse relativamente nova e um pouco distante, eu tinha que admitir que ela estava começando a ressoar comigo.

Deixando Helen e Lyra sozinhas após nossa conversa sobre a aula de ciências, desci as escadas para encontrar meu cão ressonante. Como de costume, ela estava no quintal.

"Callie, aqui, garota!"

Ela entrou correndo na cozinha cheirando a sujeira e suor de cachorro. Abanando sua cauda dura muito rapidamente, ela olhou para mim e saiu correndo pela porta mais uma vez. Claramente, ela queria que eu a seguisse.

Callie tinha o nariz enterrado na hera com o traseiro para o alto. Quando me aproximei, ela olhou para cima e começou a sacudir o traseiro para trás e para a frente. Callie pegou algo na boca e virou no ar. O que quer que fosse (provavelmente uma toupeira) emitiu um grito estridente, que logo foi interrompido.

Fiquei impressionado com as habilidades de caça de Callie. Como não tinha interesse em comer sua presa, ela caçava para seu próprio prazer ou para o meu. Não havia necessidade de contar a Helen sobre a atividade predatória de Callie. Isso seria o nosso segredo.

"Boa menina", eu disse. "Você é uma super *feist*!"

7

Os advogados se envolvem

Décadas atrás, quando as universidades não tinham tantas regras e regulamentos, os cachorros eram um adereço comum aos *campi*. A maioria das fraternidades tinha um cachorro, e os professores muitas vezes levavam seus cães para a sala de aula. O que seria das faculdades sem um cachorro perseguindo um *frisbee* na quadra?

Infelizmente, esses dias se foram. Eles acabaram antes mesmo que eu fosse para a faculdade. Mas é ainda pior hoje em dia. A maioria das universidades proíbe terminantemente a entrada de cães em seus espaços. Apenas algumas faculdades, incluindo Caltech e MIT, permitem animais de estimação, e esses são apenas gatos. A Universidade de Lehigh, na Pensilvânia, permite um gato ou cachorro por fraternidade ou irmandade, mas ele deve permanecer em casa o tempo todo. As únicas universidades que permitem aos cães um *campus* relativamente livre são a Universidade Stetson e a Faculdade Eckerd, na Flórida, a Universidade de Illinois, em Urbana–Champaign, e as Faculdades Washington e Jefferson, na Pensilvânia (embora neste último caso você precise provar que é um cão da família e que você o tem há pelo menos um ano).

A Universidade Emory não aceita animais de estimação. Seu manual de políticas diz: "Por causa das restrições que regem as apólices de seguro universitário, a preocupação com a integridade dos projetos de pesquisa e o interesse pelo bem-estar do corpo docente, alunos, funcionários e visitantes, é política da Emory que animais não sejam permitidos em prédios da universidade".

Apólices de seguros? O bem-estar da universidade está realmente ameaçado por cães? Parece que algum advogado imaginou um cão raivoso enlouquecido.

No entanto, havia uma brecha na proibição dos cães: animais usados para pesquisa eram permitidos. Mas isso significaria que vários comitês, respaldados por advogados, precisariam assinar o contrato. Mentalmente me preparei para lutar contra um exército de "nãos".

Quando fazemos experimentos de imagens cerebrais em seres humanos, todos os procedimentos devem ser revisados por um conselho destinado a proteger os voluntários de qualquer dano. Tendo realizado cerca de mil ressonâncias magnéticas em seres humanos na última década, acostumei-me ao processo de aprovação. Mas dessa vez era totalmente diferente. Nós íamos escanear cachorros.

O progresso científico da ciência biomédica tem um triste fato em seu caminho: está repleto de corpos humanos e animais. A era moderna da experimentação humana começou com os nazistas. Médicos e cientistas realizaram experimentos horríveis em pessoas mantidas em campos de concentração, e tudo isso foi justificado em nome do progresso científico. Durante os Julgamentos de Nuremberg, essas atrocidades vieram à tona. Como resultado, foi estabelecido um código de conduta sobre como fazer pesquisa médica sem colocar pessoas em grande risco. Essas regras evoluíram ao longo do tempo, especialmente depois de alguns terríveis lapsos de julgamento, como o estudo da sífilis de Tuskegee, que ocorreu de 1932 até 1972. No estudo de Tuskegee, os pesquisadores negaram tratamento para afro-americanos desfavorecidos sem o seu conhecimento, para que os cientistas pudessem documentar o curso natural da sífilis. Em 1974, após o encerramento do estudo, o Ato Nacional de Pesquisa estabeleceu uma comissão para a proteção dos voluntários de pesquisa. A comissão produziu um documento importante chamado *Relatório Belmont*, que não apenas resumia a história da experimentação biomédica humana desde a Segunda Guerra Mundial, mas também estabelecia diretrizes para experimentos que envolvem seres humanos.

O *Relatório Belmont* contém três princípios básicos para pesquisa humana. Primeiramente, deve haver "respeito pelas pessoas". Isso significa que toda pessoa tem o direito de tomar suas próprias decisões, incluindo se voluntariar para pesquisa. Em outras palavras, você não pode forçar ou enganar alguém a participar de um experimento. Segundo, o princípio da beneficência, o que significa que devemos maximizar os benefícios resultantes da pesquisa. Isso também significa que não devemos prejudicar as pessoas em nome da pesquisa. No entanto, há uma espécie de zona cinzenta aqui, no reconhecimento de que toda pesquisa traz algum risco. Desde que os benefícios potenciais superem os riscos, a pesquisa geralmente é considerada boa. Por exemplo, um medicamento experimental contra o câncer pode ter efeitos colaterais terríveis, mas, se tiver o potencial de salvar a vida do paciente, os benefícios podem superar os riscos. Por fim, há um princípio de justiça, ou equidade, o que significa que os cientistas não podem usar apenas pessoas pobres na pesquisa, porque isso seria aproveitar injustamente sua necessidade de ganhar dinheiro alugando seus corpos para a pesquisa médica.

Embora tenha levado décadas para descobrir como esses princípios seriam aplicados na prática com os seres humanos, a situação é completamente diferente com os animais. A lei não reconhece animais como tendo os mesmos direitos que os humanos. Legalmente, animais são considerados propriedade. Isso significa que os pesquisadores podem, dentro dos limites, fazer o que quiserem com eles. Geralmente, isso significa a morte do animal.

Por pior que isso pareça, o cuidado dos animais de laboratório é altamente regulamentado pelo Departamento de Agricultura. A Lei do Bem-Estar Animal, sancionada em 1966, especifica como os animais usados na pesquisa devem ser tratados. Periodicamente atualizado, o texto da lei é uma lista complexa de regras que descrevem tudo, desde os requisitos da gaiola, cuidados veterinários, até métodos de eutanásia.

O ato exige que qualquer entidade que realize pesquisas em animais, como uma universidade, estabeleça um comitê para revisar e aprovar protocolos de pesquisa. Esse comitê é chamado Comitê Institucional de Cuidado e Uso de Animais, ou CICUA. A sigla é geralmente pronunciada como está escrita.

Digamos que eu quisesse realizar alguma pesquisa comportamental com Callie em casa, como descobrir o melhor método para fazê-la vir quando chamada. Desde que não viole nenhuma lei de crueldade animal, eu poderia fazer o que quisesse. Usar uma guia longa? Certo. Tentar um apito ultrassônico? Correto. Usar uma coleira de choque eletrônico? Ainda assim estaria certo. Não precisaria da permissão de ninguém para fazer nada disso.

Mas se eu fizesse a mesma pergunta em um ambiente acadêmico, como a universidade, ela estaria sob a jurisdição legal da Lei do Bem-Estar Animal. Se quisesse escrever um artigo acadêmico sobre qual biscoito de cachorro seria mais eficaz para o treinamento, eu ainda precisaria obter a aprovação do CICUA. A principal diferença entre fazer pesquisa em casa e na universidade é que a universidade é considerada uma "instituição de pesquisa" que recebe dinheiro do governo federal. Como parte do acordo para receber fundos federais, a universidade deve obedecer a todas as regras e regulamentos federais. Uma grande parte desse acordo é a conformidade com a Lei do Bem-Estar Animal. A outra parte é o cumprimento de regulamentos de pesquisa com seres humanos, como os estabelecidos pelo *Relatório Belmont*.

Embora eu estivesse acostumado a navegar pelo labirinto das regras da pesquisa humana, jamais tive experiência com as regras de animais. Para a minha surpresa, as regras das pesquisas com animais eram muito mais complicadas. Ao contrário dos humanos, os animais não podem escolher se querem participar da pesquisa. Então, enquanto um humano pode, teoricamente, julgar os riscos e benefícios e tomar uma decisão consciente, os animais não podem. Como resultado, as regras em torno da pesquisa com animais reconhecem que suas vidas serão terríveis e limitam tanto quanto é possível a dor e o sofrimento que devem suportar.

Nada disso parecia ser relevante para o Dog Project. Afinal, os cães seriam animais de estimação das pessoas. Eles não ficariam alojados na universidade. O plano era que os donos treinassem seus cães em casa e, quando estivessem prontos, os levassem para o escaneamento de RM. Andrew e eu achamos que seria bem simples. Nós escrevemos um documento descrevendo nosso plano para o experimento que detalhava o protocolo de pesquisa. Ele continha tudo, desde como selecionaríamos os assuntos, como treinaríamos os cães, até como protegeríamos a audição deles durante as ressonâncias. Inclusive incluía um formulário de consentimento (para o dono, não para o cachorro).

Enviamos o documento do protocolo para o CICUA e esperamos por uma resposta.

Duas semanas depois, recebi um telefonema de um advogado da universidade. "Temos um problema de jurisdição em o seu protocolo."

Tentando não ficar chateado, pedi a ele que explicasse o problema. "Para começar", ele continuou, "você incluiu um formulário de consentimento."

"Sim", eu respondi. "Achamos que seria razoável obter o consentimento do dono do cão."

"O CICUA não faz formulários de consentimento", disse ele. "Isso soa como pesquisa humana."

"Mas os humanos não são os sujeitos da pesquisa", eu disse. "Os cães são."

"Bem, não sabemos o que fazer com um formulário de consentimento", disse ele. "Você precisa enviá-lo para o CAI." O Conselho de Análise Institucional, ou CAI, era o comitê que revisava os protocolos em pesquisas humanas.

"Eles não vão querer revisá-lo porque não é pesquisa humana."

"Há outros problemas", continuou o advogado, me ignorando. Ele então apresentou uma lista de questões. Uma vez no *campus*, como transportaríamos os cães para a ressonância magnética? Como impediríamos que os cachorros escapassem? O que aconteceria se eles mordessem alguém? Os advogados de gestão de risco do hospital teriam que assinar isso também. Eu precisaria checar com o Departamento de Segurança e Saúde Ocupacional para ver se havia problemas para resolver. Também precisaria verificar com a oficial de biossegurança para ver se ela tinha preocupações sobre a disseminação de patógenos biológicos.

Não conseguia acreditar no que estava ouvindo. De repente, a pequena caçadora que dormia em nossa cama e lambia meu rosto todas as manhãs representava uma ameaça à segurança e ao bem-estar de toda a universidade.

"Você já considerou cães criados para fins específicos?", perguntou o advogado, referindo-se a cães, geralmente *beagles*, criados e vendidos exclusivamente para pesquisa. Não havia como apoiar essa prática infame, e eu disse isso a ele.

"Isso atenuaria algumas das preocupações de responsabilidade, porque a Emory seria dona dos cães", continuou o advogado.

"Precisamos encontrar uma maneira de fazer esse projeto com cães que sejam propriedade da comunidade", eu disse. "Estou confiante de que as pessoas vão oferecer seus cães apenas para ter uma chance de participar desta pesquisa." Então eu tive uma ideia. "Você tem um cachorro?"

"Sim."

"Então, com certeza, você já se perguntou o que seu cachorro está pensando", eu disse. "Você o voluntariaria?"

"Bem, eu não acho que ele seria um bom paciente", o advogado respondeu. "Mas entendi aonde quer chegar." Ele fez uma pausa e continuou. "Talvez o CAI pudesse atuar como consultor para nos ajudar com o seu formulário de consentimento."

Um vislumbre de esperança.

"Mas por causa das responsabilidades, você ainda precisará da aprovação de todos os escritórios em seu protocolo."

Isso não seria nada fácil. Eu já havia lidado com alguns desses escritórios antes, e sabia que ninguém gostaria de ser o cara que aprovou o experimento maluco dos cachorros. E se algo desse errado? Mas não havia como voltar atrás. Se precisasse, eu faria isso fora do *campus*, no meu próprio tempo. Eu encontraria alguma instalação privada de ressonância magnética disposta a aceitar cães.

De um jeito ou de outro, o Dog Project iria acontecer, mesmo que fosse preciso lutar com todos os advogados de Atlanta.

Muitas das pessoas que trabalham nas divisões da universidade, preocupadas com a conformidade com os regulamentos, adotam uma atitude defensiva. Normalmente, isso se manifesta como uma preocupação com as normas da lei. Infelizmente, existe uma infindável variedade de regulamentações federais, e elas nem sempre estão em conformidade umas com as outras, portanto, saber quais regras têm prevalência em determinada situação é uma espécie de arte. Na minha experiência, muitas pessoas nessas divisões se preocupavam sobretudo em minimizar a chance de qualquer violação ou qualquer coisa que pudesse se tornar publicidade negativa se algo desse errado, sem muita consideração pelos possíveis benefícios de assumir esse risco.

Liguei para Sarah Putney, diretora do CAI. Sarah sempre me ajudou a lidar com questões éticas em nosso trabalho humano. Ela tinha um conhecimento incrível das regras, amava pesquisas e, o mais importante, era apaixonada por cães.

Expliquei o que queríamos fazer, e Sarah imediatamente pareceu entender.

Chegando direto ao cerne da questão, ela perguntou: "Quem é o sujeito pesquisado?".

"O cão."

"Então isso não é algo que o CAI iria analisar", ela respondeu. "Nós só analisamos as pesquisas humanas."

"Mas temos um formulário de consentimento", informei.

"Por quê?"

Expliquei que, como estávamos pedindo às pessoas que oferecessem seus animais de estimação para a pesquisa, parecia apropriado esclarecer o que estávamos fazendo e quais eram os riscos.

Toda pesquisa implica algum tipo de risco. Na pesquisa humana, o espectro varia de risco mínimo a alto. Risco mínimo significa que a probabilidade e a magnitude do dano na pesquisa não são maiores do que o que é normalmente encontrado na vida diária ou durante a realização de um exame físico ou psicológico de rotina. Qualquer coisa além disso é considerada de risco moderado ou alto. Mas isso é um julgamento feito pelo CAI.

Nosso trabalho com RM humana é considerado de risco mínimo, porque estudamos pessoas normais e saudáveis, e não lhes damos nenhuma droga. A ressonância magnética não usa radiação, por isso é considerada muito segura por si só. Os principais riscos para os seres humanos são a ansiedade, por causa do espaço fechado, e a perda auditiva, em decorrência do ruído. Para limitar o risco de um ataque de pânico claustrofóbico, os participantes recebem um botão que podem pressionar se quiserem ser removidos do *scanner*. Para proteger sua audição, eles usam protetores auriculares.

Em teoria, os riscos para os cães seriam os mesmos. Os cães têm uma audição mais sensível, portanto, pode haver um risco maior de danos auditivos. Para minimizar esse risco, os cães precisariam ser treinados para usar protetores de ouvido, mas achei que seus donos deveriam estar cientes de todas as coisas que poderiam dar errado, por mais improváveis que fossem. Na minha opinião, o pior que poderia acontecer seria um cão fugir, se perder ou se machucar no processo.

Como o que estávamos propondo não atendia à definição de pesquisa humana, nenhuma lei federal exigia a existência de um formulário de consentimento. Mas, como expliquei a Sarah, parecia ser a coisa certa a fazer. Estávamos prestes a tomar uma decisão que elevava os direitos dos cães ao mesmo nível dos direitos dos nossos pacientes humanos.

Desde que comecei a dirigir um laboratório de pesquisa, trabalhei sob um princípio ético simples: *Não faça nenhum experimento que você não estaria disposto a fazer em si mesmo ou em um ente querido.* Essa não é uma filosofia universalmente compartilhada. Muitos cientistas fazem experimentos para os quais jamais se ofereceriam. Não há uma regra que obriga a fazer isso. Cada um tem sua própria opinião sobre os riscos e benefícios do voluntariado para pesquisa. O princípio do "respeito pelas pessoas" permite que todos tomem a decisão consciente de participar de um experimento, incluindo a pessoa que está conduzindo o experimento. Mas que mensagem seria enviada se eu não estivesse disposto a ser um voluntário em meus próprios experimentos? Eu fiz cerca de cinquenta ressonâncias magnéticas ao longo dos anos. Não tenho medo de entrar em uma. Eu colocaria meus filhos em uma ressonância magnética. E meus cachorros.

Depois de explicar minha lógica para Sarah, concordamos que as regras que regem a pesquisa sobre crianças forneciam o melhor modelo para o que queríamos fazer. Se adultos desejam participar de uma pesquisa, eles simplesmente precisam entender os riscos e benefícios e tomar uma decisão consciente. Crianças são diferentes. Além de não terem legitimidade legal para tomar as próprias decisões, as regras também reconhecem que não têm o conhecimento ou a experiência necessários para entender riscos e benefícios.

A pesquisa em crianças requer uma análise meticulosa. Se a pesquisa é considerada de risco mínimo, então o processo de aprovação é praticamente o mesmo que para os adultos. A principal diferença é que os pais dão permissão e assinam o formulário de consentimento. No entanto, a criança ainda deve indicar uma disposição para participar, o que é chamado de *assentimento*. Se a pesquisa tem mais do que um risco mínimo, vários fatores diferentes são analisados, incluindo o risco relativo e o provável benefício para a criança.

Como nossos estudos com humanos, o Dog Project se qualificaria como risco mínimo. Por isso, simplesmente copiamos um formulário de consentimento que usamos em um dos nossos estudos anteriores sobre RM em crianças. Onde quer que as palavras *seu filho* aparecessem, nós as substituímos por *seu cão*.

Então restou apenas o cão. Como um cachorro não pode assinar um formulário, como poderíamos detectar o equivalente canino do assentimento? Com uma criança, o assentimento é geralmente determinado perguntando à criança. Se tiver idade suficiente, ela pode assinar um documento de consentimento, que é uma versão infantil do formulário. Mas se for jovem demais para entender ou se expressar, o pesquisador deve levar em consideração o seu comportamento. Por exemplo, se uma mãe se inscrever para um projeto de pesquisa com seu bebê e o bebê mostrar sinais óbvios de sofrimento, como choro inconsolável, o pesquisador deve interpretar isso como um sinal de que o bebê não quer participar, e o experimento deve ser interrompido.

Nós poderíamos fazer a mesma coisa com os cães e tratá-los como sujeitos de pesquisa infantil. Se mostrassem algum sinal de não querer participar, pararíamos o experimento. A maneira mais simples de fazer isso seria dispensar as contenções. Se um cachorro não quisesse mais estar no *scanner* de ressonância magnética, ele poderia simplesmente sair. Igual a um humano.

Não importa que toda a pesquisa anterior com animais os tenha tratado como propriedade. Elevar os direitos de um cachorro aos de uma criança humana fazia sentido ética e cientificamente. Era a coisa certa a fazer e resultaria em dados de melhor qualidade também. Se o cão não quisesse estar no *scanner*, os dados seriam inúteis de qualquer maneira. E se estivesse amarrado, poderíamos nem saber que ele não queria estar lá.

Com a ética equilibrada, era hora de voltar ao CICUA com nossa proposta. O comitê ficou feliz com o formulário de consentimento e ficou satisfeito por Sarah Putney ter ajudado a redigir o texto. Ficamos apenas com uma lista de administradores universitários prontos para dizer não.

O primeiro foi o gerenciamento de riscos. O único propósito desse departamento é minimizar a chance de que algo ruim aconteça. O departamento de gerenciamento de risco analisa a pesquisa começando pelo pior cenário possível. Qual é a coisa mais catastrófica que pode acontecer, como isso prejudicaria a reputação da universidade, e quanto custaria para a universidade se defender no tribunal?

Embora disséssemos "cachorro", acho que a gerência de risco ouvia "Cujo", como o São Bernardo raivoso de Stephen King. Pior cenário possível: cão foge, corre solto no *campus*, morde estudante, estudante pega raiva canina e morre. Como não iríamos fazer o escaneamento em Yerkes, os cães teriam que estar sempre sob controle, especialmente quando estivessem sendo transportados para o aparelho de ressonância magnética do Hospital da Universidade Emory. Felizmente, a sala de RM tinha uma porta que levava diretamente para o exterior do prédio. Nós poderíamos guiar os cães até a porta sem ter que passar pelos corredores lotados. A gestão de riscos gostou disso, pois minimizou a chance de contato humano inadvertido. No interior havia três portas entre a sala de ressonância magnética e o resto do hospital, de modo que não havia chance de um cachorro escapar uma vez que estivesse dentro da sala do *scanner*.

O tópico seguinte era a saúde dos funcionários. Trabalhar com animais criou um risco ocupacional. E se alguém da equipe de pesquisa fosse alérgico a cachorros? Os cães poderiam deixar pelos na RM, o que causaria uma reação em alguém que fosse ao *scanner* depois? A solução para a primeira pergunta era que todos os membros do laboratório se certificassem de que não eram alérgicos a cães. A maioria da equipe tinha cães, então isso não foi um problema. Para lidar com o pelo do cachorro, descartaríamos os lençóis e limparíamos o *scanner* com desinfetante.

O único obstáculo restante era o escritório de biossegurança. O oficial de biossegurança também estava preocupado com o vírus da raiva. Sugeriram que a equipe de pesquisa recebesse vacinas antirrábicas preventivas. Ignore o fato de que não houve casos de raiva humana nos Estados Unidos que resultassem da mordida de um cachorro doméstico na última década. Como todos os cães voluntários em nosso estudo teriam provas de vacinação, as chances de contrair raiva deles seria essencialmente nula. Os riscos da vacina eram muito maiores. A vacinação antirrábica requer três doses ao longo de um mês, e 50% a 75% das pessoas vacinadas apresentam efeitos colaterais leves a moderados, incluindo dores de cabeça, náuseas, tontura, dor abdominal e febre. Não, obrigado. Depois de ser confrontado com esses dados do Centro de Controle e Prevenção de Doenças (CPCD), o departamento de biossegurança recuou e concordou que os riscos da vacinação eram maiores do que os riscos de contrair raiva de um cão doméstico.[8]

Com o obstáculo administrativo final resolvido, o exército de advogados assinou o Dog Project. Recebemos aprovação para estudar inicialmente até dez cães. Se tudo corresse bem, poderíamos pedir a aprovação de mais cães depois disso.

Agora, tínhamos apenas que encontrar alguns pacientes.

O simulador

Resolvida a questão de onde escanear os cães, poderíamos voltar nossa atenção para aclimatar os cães à ressonância magnética, ou seja, teríamos que construir um simulador de ressonância magnética.

Todo o projeto dependia da capacidade de um cão manter a cabeça imóvel enquanto estava no *scanner*. Treinar um cachorro para manter a cabeça parada ainda seria a parte fácil. Fazer isso em uma ressonância magnética era uma história diferente. O interior do *scanner* de ressonância magnética tem seis metros de comprimento e menos de dois metros de diâmetro. Muitas pessoas não gostam de ficar presas em um tubo do tamanho de um caixão. Por sorte, cães não são como humanos, e muitas raças gostam de estar em pequenos espaços. Callie, sendo da família *terrier*, não tinha tais medos e adorava ficar em um túnel sob a hera e em buracos. Mesmo assim, todos os cães que participariam do estudo precisariam ser treinados para entrar em um tubo com as dimensões exatas da ressonância magnética. Uma vez que estivessem aclimatados ao tubo, eles teriam que ser treinados para colocar o rosto na bobina de cabeça. A bobina, que é apelidada de "gaiola" por causa da semelhança, é ainda menor do que o tubo de ressonância magnética. O cão precisaria mover seu corpo e seguir para o centro da gaiola.

O segundo aspecto difícil da RM é o ruído. Exames de ressonância magnética são barulhentos. Ao realizar uma varredura funcional, a ressonância magnética parece uma metralhadora. Com quase cem decibéis, estar em ressonância magnética é como estar ao lado de um soprador de folhas. Embora não seja tão doloroso para humanos, cães têm uma audição mais sensível, e temíamos causar danos. Além disso, muitos cães simplesmente têm medo de ruídos altos. Não seria bom examinar o cérebro de um cão ansioso e assustado. Não só precisaríamos encontrar cães com um temperamento calmo, mas também precisaríamos acostumá-los ao barulho. O simulador teve que imitar esse aspecto-chave do procedimento de RM.

Acredita-se que cães têm uma audição mais sensível do que os humanos. Mas quão mais sensível? Nas frequências mais baixas, os humanos percebem frequências de cerca de 8 Hz, o que é sentido como uma vibração muito profunda. O limite das frequências altas é cerca de 20.000 Hz. Esse intervalo tende a diminuir com a idade; as altas frequências são perdidas por conta do dano auditivo devido à exposição a ruídos altos ao longo dos anos. A maioria das vozes humanas está na faixa de 300 a 3.000 Hz. A primeira investigação da audição canina foi feita na década de 1940. Como a tecnologia de geração de som era limitada na época, os cientistas não conseguiam gerar frequências muito altas e não puderam determinar a faixa de frequências altas dos cães.[9] Somente na década de 80 foi possível gerar sons de alta frequência de forma confiável. Na década de 90, uma técnica ainda mais sofisticada foi desenvolvida. Essa técnica analisa as respostas elétricas na parte do cérebro do cão que responde ao som. Essas respostas auditivas evocadas do *tronco encefálico*, ou RAETE, também são usadas em humanos. Hoje a maioria dos cientistas concorda que os cães podem ouvir sons de até 60.000 Hz, muito além do alcance humano.

O próprio *scanner* de ressonância magnética produz uma grande variedade de sons. Esses ruídos são originários do que chamamos de *ímãs de gradiente*. Existem dois tipos de campos magnéticos em uma RM. O campo principal é produzido pelos vários quilômetros de fio supercondutor que estão enrolados ao redor do tubo. O campo principal nunca muda e está sempre ativado. Os gradientes são campos magnéticos muito menores que estão constantemente mudando durante um escaneamento. Ao ligar e desligar os gradientes, podemos selecionar locais específicos no cérebro. Um gradiente pode ser ligado com a passagem de uma corrente elétrica através dele, o que ativa o campo magnético. O súbito influxo de eletricidade faz com que o ímã se expanda levemente, e essa rápida expansão causa uma onda de pressão dentro da RM, que ouvimos como um forte estrondo. O ruído exato que ele faz depende do tipo de varredura sendo realizada e se é uma ressonância magnética estrutural ou funcional.

Nós ainda precisávamos de um modelo físico do *scanner* para treinar os cães. Muitas universidades que abrigam máquinas de RM para pesquisa cerebral têm simuladores. Existem muitas situações nas quais faz sentido treinar as pessoas no *scanner* antes de realmente escanear seus cérebros. Estudos de imagens cerebrais de crianças, por exemplo, devem primeiro ensinar as crianças a ficar paradas no *scanner* usando um simulador. Visto que a ressonância magnética pode ser assustadora, é muito útil permitir que as crianças se acostumem ao ambiente antes de irem para o *scanner* real.

Não é de se surpreender que algumas empresas tenham se especializado na venda de simuladores de *scanner*. O preço, no entanto, é salgado. Quando embarcamos no Dog Project, o preço médio de um simulador de *scanner* era cerca de US$ 40 mil. Não tínhamos financiamento, logo, era inviável. Ademais, eu não admitia gastar tanto dinheiro no que era equivalente a um tubo vazio com alguns alto-falantes dentro simulando o ruído.

Quanto da RM real precisaríamos simular? Precisaríamos de algo que pudesse preencher uma sala inteira, como o *scanner* real? Ou poderíamos nos virar com um simples tubo? Afinal, o cachorro iria ficar apenas dentro do *scanner*.

Mark veio ao hospital para verificar as instalações e determinar o quanto da ressonância magnética real seria necessário simular para o treinamento do cão. Ele pulou na mesa do paciente e se deitou, colocando a cabeça na gaiola. Com o apertar de um botão, a mesa deslizou o centro do ímã. Um sinal de positivo com a mão indicou que ele estava pronto para começar. Fizemos algumas varreduras cerebrais rápidas para que Mark pudesse ter uma ideia dos tipos de ruídos e de quão alto eles seriam.

Mark saiu do *scanner* com um grande sorriso no rosto e afirmou: "Isso é totalmente possível".

"Você acha que precisamos fazer uma maquete do *scanner* inteiro?", perguntei.

"Não, apenas a mesa do paciente e o tubo são suficientes."

Teríamos que construir o simulador sozinhos, portanto, essa era uma boa notícia. O simulador do *scanner* teria três elementos: um tubo para simular o interior do aparelho; um modelo exato da gaiola, na qual o cão teria que entrar; e um sistema de som para reproduzir gravações do ruído do *scanner* no volume apropriado.

Eu estava ansioso por isso. A construção de um simulador faria com que eu tirasse o pó de alguns equipamentos de carpintaria que ficaram esquecidos na garagem. É divertido construir coisas.

Para simular o interior do *scanner*, precisaríamos de um tubo com o diâmetro correto. O tubo de ressonância magnética media sessenta centímetros, ou dois pés, de diâmetro – maior do que qualquer tubulação que você encontraria em uma loja de ferragens comum. Contudo, esse é um diâmetro corriqueiro de pilastras de concreto usadas na construção de edifícios. Esses pilares são feitos derramando-se concreto em moldes vendidos sob o nome comercial de Sonotube. Andrew fez algumas ligações para casas de construção nos arredores de Atlanta e logo encontrou um Sonotube de três metros de comprimento e dois metros de largura.

"Eles vendem por tamanho?", eu perguntei.

"Não", Andrew respondeu. "Temos que comprar a peça inteira."

"Quanto custa?"

"Cerca de cem dólares."

"Qual o tamanho do tubo de RM mesmo?"

"Cerca de dois metros."

"Isso é ótimo", eu disse. "Podemos seguir no estilo NASA."

Andrew pareceu intrigado.

"Antigamente", expliquei, "a NASA lançava duas naves espaciais para suas missões. A razão disso era que a maior parte do custo de uma missão estava no projeto e no desenvolvimento. Uma vez alcançados, o custo adicional de uma segunda espaçonave era mínimo. Além disso, trazia um nível de segurança caso uma aeronave falhasse. Se precisamos comprar quatro metros de Sonotube, poderíamos apenas cortá-lo ao meio e construir dois simuladores. Daremos um para Mark usar no CTP, e posso manter um em casa para testar com Callie."

Construir o tubo principal não exigia muito além de cortar o Sonotube ao meio. Andrew e eu encontramos tudo de que precisávamos na loja de construção local. Compramos duas mesas dobráveis para montar os tubos, uma folha de compensado e uma madeira serrada que serviriam como a mesa do paciente dentro do tubo. Nós construímos a estrutura na minha garagem em um sábado.

Embora o resultado não se parecesse com uma ressonância magnética real olhando do lado de fora, a parte importante para o cão era o interior do tubo. Andrew conseguiu todas as medidas do *scanner* real. Tudo o que tínhamos que fazer era reproduzir a altura e a largura da mesa do paciente quando totalmente inserida no orifício da RM. Para testar, fizemos um revezamento engatinhando dentro do simulador. Nós dois concordamos que era tão claustrofóbico quanto a máquina real.

Andrew e eu construindo o simulador de ressonância magnética (foto de Helen Berns).

Construir uma maquete da gaiola era um pouco mais complicado. Ela tem uma forma peculiar, um cilindro com cerca de trinta centímetros de comprimento e trinta centímetros de diâmetro. Por ficar de lado, o cilindro repousa em uma armação que se prende à mesa do paciente dentro do tubo de ressonância magnética. Andrew tomou as medidas exatas da bobina e fez

8. O simulador

um traçado em tamanho real das extremidades da gaiola. Nós transferimos os traçados para um compensado e usamos uma serra para cortar réplicas exatas das extremidades da bobina. Cavilhas de madeira foram usadas para simular a gaiola da bobina e para segurar as extremidades da gaiola juntas. Nós entortamos uma folha fina de compensado em um semicírculo e colamos dentro de toda a estrutura. Para os humanos, isso formaria o berço onde repousa a cabeça. Os cães precisariam passar o corpo inteiro para dentro da bobina e ficar em posição de esfinge.

Callie manteve uma distância segura do simulador. Ela não estava com medo dele, mas também não o encarava como um brinquedo.

Só por diversão, tentei convencê-la a entrar no tubo, mas ela não quis saber disso. Mesmo com um petisco de cachorro dentro, ela ainda não entrava. A coisa toda era muito estranha. Além disso, estava sobre uma mesa, e ela não gostava de ser colocada em cima de uma mesa. Era muito parecido com uma visita ao veterinário.

Talvez a gaiola fosse mais fácil para um primeiro passo.

Começamos colocando a gaiola no chão. Eu queria que Callie farejasse por conta própria. Depois de alguns minutos, ela ficou entediada e foi embora. Isso era um bom sinal: ela estava se acostumando e não encarava como uma ameaça. Em seguida, deitei-me no chão e coloquei minha cabeça na gaiola. Callie ainda não estava pronta para se juntar a mim. Um pouco de manteiga de amendoim em meus lábios a fez mudar de ideia. Ela pulou no meu peito e enfiou a cabeça para lambê-lo.

Como ela parecia estar se divertindo agora, coloquei um pouco de manteiga de amendoim dentro da bobina para fazê-la entrar sozinha. Ela deu uma lambida alegremente. Para evitar lambuzar toda a gaiola com manteiga de amendoim, passei a colocar petiscos de cachorro.

Cada vez que ela enfiava a cabeça na gaiola, eu movia o petisco um pouco mais para trás. Eu queria ver se ela assumiria a posição da esfinge na gaiola, mas não tinha ideia de como faria isso. Por mais que eu amasse Callie e secretamente esperasse que ela fosse a paciente número um, tinha receio de que ela fosse malcriada demais para o experimento.

Enviei por *e-mail* algumas fotos do simulador de *scanner* para Mark. Na última foto, Callie estava ao lado da bobina da cabeça.

Para minha satisfação, foi Mark quem sugeriu usá-la.

"Ela parece confortável com isso", ele escreveu. "Por que não fazer de Callie a primeira paciente?"

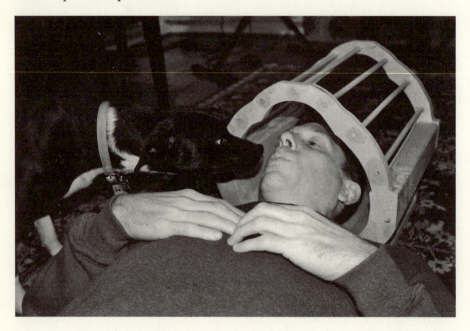

Eu testando a bobina de cabeça falsa, enquanto Callie observava (foto Helen Berns)

9

Treinamento básico

Callie se comportava dentro de casa. Mas como ela se sairia em um ambiente desconhecido? Ela não demostrou medo da bobina de cabeça, um sinal de que seria capaz de se adaptar às novas tarefas, mas só havia uma maneira de descobrir com certeza.

Helen, ansiosa para ver como Callie se sairia no treinamento, me ajudou a carregá-la para o carro, e nós três nos dirigimos ao TAP com a bobina de cabeça para assistir Mark entrar em ação.

Helen entrou com Callie, enquanto eu colocava a bobina de cabeça no chão.

Mark olhou para o objeto e assentiu. "Isso vai ser fácil. Você trouxe petiscos?"

Por causa do treinamento de filhotes, sabia que mimos macios são os melhores. Eles podem ser cortados em pequenos pedaços para que o cão não fique cheio muito rapidamente, facilitando a ingestão, já que o cão pode consumi-los sem se distrair com um biscoito duro. Os únicos petiscos que encontrei em casa foram alguns cachorros-quentes que haviam sido empurrados para o fundo da geladeira. Eu não tinha ideia de quanto tempo fazia que estavam lá, mas eles cheiravam bem, e Callie os amava. Entreguei a Mark um saquinho cheio de cachorros-quentes fatiados.

"Primeiro", ele disse, "vamos começar com o *clicker*."

Um *clicker* de treinamento é um pequeno dispositivo do tamanho de um USB portátil que, como diz o nome, faz um som alto de clique quando pressionado. Cães podem ouvir o *clicker* do outro lado da sala. A vantagem é que ele emite sempre o mesmo som, diferentemente dos comandos vocais. Como é quase impossível usá-lo incorretamente, o *clicker* é uma ferramenta útil para iniciantes como eu. Seu manuseio é simples: quando o cachorro faz algo correto, você clica. Para que funcione, no entanto, primeiro você precisa ensinar ao cão que um clique é igual a uma recompensa. Isso é um condicionamento clássico. Como Pavlov ensinou.

Callie farejou o saco de cachorros-quentes enquanto eu o entregava a Mark. Então, obedientemente se sentou a seus pés, com a cauda varrendo o chão. Mark apertou o clique e imediatamente deu a ela um pedaço de cachorro-quente. Callie ficou ainda mais animada. Ela mal conseguia se sentar.

Nesse ponto, o que Callie estava fazendo não era importante. Mark clicava periodicamente e entregava-lhe uma recompensa. Ele estava estabelecendo a associação de cada clique à entrega de uma recompensa, fazendo disso um estímulo condicionado. Não demorou muito tempo. Uma dúzia de recompensas por clique, e Callie entendeu a associação. Com o significado do *clicker* estabelecido, Callie estava pronta para aprender um comportamento. Eu pude ver como o *clicker* facilitaria o processo.

Mark explicou outra vantagem de usar o *clicker*. "Vamos moldar o comportamento dela. Inicialmente, qualquer coisa que Callie fizer que esteja perto do comportamento desejado será recompensada. O *clicker* deixa absolutamente claro para ela que fez algo da maneira correta. Dessa forma, ela não ficará condicionada apenas à minha voz ou à sua voz."

O *clicker* dá *feedback* instantâneo, deixando claro para um cachorro que ele fez algo bom sem perder tempo procurando as guloseimas. Diferentemente de um humano, a memória de um cão para o que ele acabou de fazer parece ser muito limitada. Quanto mais longo o intervalo entre o comportamento desejado e a recompensa subsequente, menor a probabilidade de o cão fazer a associação. Esse fenômeno é chamado de desconsideração temporal. Pesquisas em ratos sugerem que uma recompensa dada quatro segundos após um comportamento desejado tem aproximadamente metade da eficácia em relação a uma recompensa dada imediatamente. Se o treinador estiver envolvido com o cão, usando sinais de mão e comandos vocais, ele pode não ter meios para dar uma recompensa imediata, sobretudo para comportamentos complexos. O *clicker* resolve esse problema fornecendo *feedback* instantâneo.

Mark estava começando a atrair Callie para a bobina de cabeça. Alcançando a bobina com um cachorro-quente em uma mão e o *clicker* na outra, Mark já conseguira fazer com que Callie colocasse o nariz em seu interior. Cada vez que ela fazia isso, Mark clicava, elogiando-a e dando-lhe um pedaço de cachorro-quente.

Com cada recompensa de cliques, Mark puxava a comida um pouco para trás, moldando o comportamento de Callie gradualmente. Com cerca de dez repetições, ele tinha Callie agachada na bobina com o focinho saindo pela outra extremidade. Uma leve pressão em seu traseiro indica que ela deveria deitar-se na bobina. Assim que ela fez isso, Mark clicou e exclamou: "Muito bem!". Callie abanou o rabo e lambeu o cachorro-quente da mão dele.

Eu não podia acreditar na rapidez com que Mark tinha conseguido fazer Callie ficar onde precisava estar.

"Como está o posicionamento?", ele perguntou.

Callie estava deitada em posição de esfinge na bobina. Suas patas pairavam sobre a borda. Ela precisaria ir um pouco mais para trás.

"Precisamos que a cabeça dela fique no centro." Mark a empurrou um centímetro para trás e clicou.

"Você pode moldar o comportamento dela em casa também", disse ele. "Acredito que ela se sairá muito bem com isso."

Uma mulher entrou no TAP com um *border collie*.

"Esta é Melissa Cate", disse Mark. "Melissa dirige algumas das nossas aulas de agilidade no TAP. Ela está interessada em oferecer seu cachorro para a ressonância magnética."

"Mark me contou sobre o Dog Project." Apontando para seu cachorro, ela disse: "Esta é McKenzie".

McKenzie era a *border collie* de três anos de Melissa. Melissa havia começado a participar de competições de agilidade alguns anos antes com um *boxer*, Zeke, que havia alcançado as melhores posições. Zeke tinha agora oito anos e perdera um pouco de velocidade, então Melissa pegou McKenzie ainda filhote para continuar nas competições de agilidade. Elas estavam indo bem desde então.

McKenzie era magra e esbelta, pesando cerca de quinze quilos, com uma cabeça longa e fina que caberia facilmente na bobina de cabeça. Ela trotou até mim e encarou-me longamente, e logo percebeu que eu não era um animal de rebanho e seguiu para dar uma olhada em Helen.

Callie se aproximou e assumiu a posição de arco com as patas da frente no chão e o traseiro no ar, a cauda abanando como uma corda vibrando. Liberamos as duas das guias e elas correram pela sala. Callie girava em torno de McKenzie, que parecia indiferente ao cachorro novato. Era hora do teste de McKenzie com a bobina de cabeça. Com um petisco para cães, Melissa não teve problemas para persuadi-la a entrar na bobina. Mordiscando a comida da mão de Melissa, McKenzie pareceu não perceber a bobina. Em competições de agilidade, os cães correm por dentro de um túnel serpenteante, e McKenzie ficava totalmente confortável em um ambiente fechado.

Depois de alguns minutos, Melissa ordenou a McKenzie que se deitasse. "*Platz*", ela disse, usando a palavra alemã para "baixo". Mark explicou que as palavras alemãs são comumente usadas no treinamento de cães por causa das populares competições de *schutzhund*. Essas competições começaram como programas de treinamento e testes para pastores alemães, mas evoluíram para um esporte completo envolvendo as fases de rastreamento, obediência e proteção.

Com McKenzie deitada na bobina de cabeça, Melissa recuou para o outro lado da sala. McKenzie não se mexeu. Na verdade, ela ficou imóvel por um minuto inteiro. Quando vi o que um cão bem treinado como McKenzie poderia fazer, eu soube que daria certo. Se foi possível entrar na bobina de cabeça, eles entrariam na ressonância magnética.

9. Treinamento básico

Melissa trabalhando com McKenzie na cabeça da bobina. Callie observa do outro lado da sala (foto de Bryan Meltz).

Até agora, Mark e Melissa estavam usando técnicas behavioristas básicas. O ganho do behaviorismo no treinamento de cães é sua simplicidade. Ao dar recompensas como comida e elogios contingentes aos comportamentos desejados, os cães aprendem rapidamente o que fazer para conseguir algo que desejam. Mas o que os cães pensam disso? Afinal, eles não são robôs trapalhões, fazendo coisas aleatoriamente e descobrindo quais comportamentos resultam em comida. Os cães apresentam um comportamento intencional e consistente, quer os seres humanos estejam presentes ou não. Isso sugere que os cães têm algum modelo mental interno de como as coisas funcionam em seu mundo. Certamente, trata-se de um modelo limitado. Por exemplo, eles não entendem tecnologias como computadores ou televisão. Mas os cães entendem como conviver uns com os outros e com outras espécies como os humanos, o que não é uma habilidade insignificante, e eles não precisam de guloseimas para aprender como fazer isso.

Enquanto McKenzie permanecia imóvel na bobina, Callie observava com grande atenção. É possível que ela estivesse interessada apenas na comida que estava sendo distribuída, mas seu olhar nem sempre estava acompanhando as mãos de Melissa. Os olhos de Callie se moviam entre McKenzie e Melissa. Você quase podia ver as rodas girando dentro da cabeça de Callie enquanto ela tentava descobrir o que estava acontecendo.

Embora estivéssemos usando princípios básicos do behaviorismo, como reforço positivo e modelagem para treinar os cães a entrar e ficar parados na bobina da cabeça, Callie deixou claro que um tipo diferente de aprendizado também estava acontecendo. Ela estava aprendendo por observação.

A aprendizagem social, ou imitação, é uma característica óbvia do comportamento humano. Podemos aprender muito simplesmente observando o que outras pessoas fazem. Estranhamente, os cães não recebem muito crédito por serem capazes de fazer isso também. Mas Callie ilustrou claramente o que todo mundo com mais de um cachorro sabe: os cães aprendem uns com os outros.

Embora experimentos behavioristas dominem a literatura de pesquisa canina, alguns experimentos demonstram o aprendizado social entre cães. Um estudo antigo revelou que filhotes de cachorro que observam irmãos de ninhada puxando um carrinho por uma corda podem copiar esse comportamento. Outro estudo mostrou que os filhotes que observavam a mãe, um cão policial, procurar por narcóticos tiveram um melhor desempenho quando aprenderam essa tarefa em comparação a filhotes que não observaram a mãe primeiro.[10]

Pouco se sabe a respeito da neurobiologia da aprendizagem social ou comportamento imitativo. Mesmo em humanos, não sabemos muito sobre quais partes do cérebro estão envolvidas. Seja em cães, seja em humanos, a aprendizagem social não depende de recompensas. Então, por que o filhote copia seus irmãos e puxa o carrinho? Afinal de contas, não há alimento a ser ganho. Talvez o Dog Project pudesse fornecer as respostas.

9. Treinamento básico

Primeiro, precisávamos treinar Callie e McKenzie para realizar uma tarefa complicada em uma situação de muito barulho.

Nas semanas seguintes, Callie e eu trabalhamos diariamente com a bobina de cabeça em casa. Limitei as sessões a dez minutos. Mark havia explicado que treinos curtos e diários são muito mais eficazes do que longas sessões esporádicas. Isso evita que tanto o cão quanto o treinador fiquem entediados. Consistência é a chave.

Callie aprendeu rapidamente. Assim que peguei a bobina da cabeça, Callie começava a pular tentando entrar nela. Uma vez lá dentro, ela assumiu a posição de esfinge e esperou que eu desse cachorros-quentes. Sua cauda nunca parava de abanar.

"Muito bem!", eu elogiava. Mais abanos de cauda.

O próximo passo era introduzir o descanso do queixo. Quando escaneamos humanos, o paciente normalmente está deitado de costas com a cabeça cercada por espuma na bobina da cabeça. O preenchimento de espuma torna-a confortável, ao mesmo tempo que impede o movimento da cabeça. Mas a armação para humanos não funcionaria para um cachorro. Callie e McKenzie teriam que se deitar de bruços, e eu duvidava que qualquer uma delas quisesse sua cabeça cercada de espuma, como Leonard fazia com seus macacos em Yerks.

Eu ainda não sabia como resolveríamos o problema do movimento da cabeça. O primeiro passo, no entanto, foi dar aos cães algo em que pudessem descansar a cabeça. Algo firme, mas confortável. Meu primeiro pensamento foi a espuma usada nas almofadas em assentos, então peguei a espuma mais firme que pude encontrar na loja de tecidos, cortei um pedaço e, enquanto Callie estava relaxando no sofá, gentilmente coloquei-a embaixo de seu queixo. Ela apenas deixou a cabeça afundar e dormiu. Isso era um bom sinal, mas a espuma era macia demais para oferecer apoio suficiente. Precisávamos de algo mais firme.

Fui à loja de ferragens e procurei espuma para isolamento. Era dura demais. Eu estava começando a me sentir como Cachinhos Dourados. Por vários dias, procurei em vão por algo que funcionasse. O descanso do queixo teria que abranger os cerca de trinta centímetros de diâmetro da bobina da cabeça. Com esse comprimento, a espuma usada em móveis desmoronava com a menor pressão no meio do vão. Mas os materiais na loja de ferragens eram desconfortáveis e rígidos demais.

A solução chamou minha atenção em uma loja de artigos esportivos. Helen e Maddy queriam tênis novos. Enquanto eles experimentavam os calçados, eu passeava sem procurar nada em particular. Estávamos no meio do mês de dezembro, e a loja estava fazendo uma liquidação dos equipamentos de mergulho para o verão. Uma pilha de pranchas de *bodyboard* foi colocada em um canto com um sinal manuscrito: 5 dólares cada. Eu apertei uma delas. Firme, mas não muito.

Levei a pilha toda para o caixa. O caixa olhou para mim como se eu fosse louco.

"Projeto de ciências", eu disse.

Em casa, usei uma faca para cortar uma tira da prancha com o diâmetro interno da bobina de cabeça. Ela formou uma ponte confortável que não afundou no meio com a pressão.

Peguei meu saquinho de cachorros-quentes e me aproximei de Callie com a barra de espuma. Ela viu as guloseimas e começou a abanar o rabo. Com ela na posição de esfinge no chão, gentilmente empurrei a espuma sob o queixo dela.

"Toque", eu disse, e dei-lhe um petisco.

Como de costume, Callie foi um prodígio. Depois de algumas repetições, sua cabeça relaxou assim que dei o comando de "toque", e pude sentir o peso de sua cabeça contra a barra de espuma. Logo depois, nem sequer tive que guiá-la pressionando a prancha contra o queixo. Com a barra um centímetro abaixo do queixo, ela abaixava a cabeça para fazer contato após o comando.

No dia seguinte, praticamos o comando "toque" com Callie na bobina da cabeça. Ela conseguiu. Com o descanso de espuma abrangendo todo o diâmetro, Callie entrou e enfiou as patas por baixo. Eu disse: "Toque", e ela colocou a cabeça na barra.

"Boa menina!", exclamei. Ela apenas abanou o rabo. Eu não podia acreditar na rapidez com que ela estava aprendendo essas coisas. Lyra, babando por perto, logo ficou sabendo que ela também ganharia cachorros-quentes ao ficar na bobina de cabeça. Lyra então começaria a latir se não participasse da ação. Ela tinha um estômago sensível, e tendia a vomitar se eu lhe desse muitos cachorros-quentes.

Todos os dias nós treinávamos o queixo na bobina de cabeça, e a cada dia, Callie mantinha a cabeça em posição por períodos mais longos. Depois de uma semana de sessões diárias, eu não precisava mais dizer o comando. Eu apenas colocava a bobina no chão, ela entrava e colocava a cabeça no descanso.

Estávamos gradualmente tornando a tarefa mais complexa para Callie e McKenzie, adicionando elementos antes do comportamento final. Essa técnica é chamada de *encadeamento reverso.* Depois que Callie aprendeu a entrar na bobina, coloquei a bobina dentro do tubo simulador da ressonância magnética. Como Callie sabia que só seria recompensada se entrasse na bobina de cabeça, ela correu pelo tubo e entrou na bobina, sendo prontamente recompensada no final. Em seguida, levantei o tubo até a altura da mesa do paciente de uma máquina RM verdadeira. Callie teria que ser treinada para subir em uma escadinha de cachorros. Essas escadas foram projetadas para os cães subirem até a altura das camas de seus donos. Como eram feitas inteiramente de plástico, estariam seguras para uso próximo à ressonância magnética real.

Demorou alguns dias para ensinar Callie a subir os degraus. Comecei colocando um cachorro-quente em cada passo. Callie seguiu o rastro de carne até o topo, onde a elogiei bastante. Uma vez que estava acostumada com os degraus, coloquei-os na frente do tubo elevado e continuei a trilha de carne até a bobina de cabeça. Quando chegou ao tubo, corri para a outra ponta e apontei para a bobina da cabeça. Ela entrou e esperou por mais guloseimas.

O último e mais desafiador elemento foi o ruído do *scanner*. Andrew já havia gravado, com britadeiras, sons parecidos com os que a ressonância magnética faz quando está em ação. Inicialmente, nos concentramos apenas em fazer com que Callie e McKenzie se acostumassem com o nível de ruído ambiente. Mais tarde, precisaríamos descobrir as configurações exatas do *scanner* para os cães, que resultariam em sons ligeiramente diferentes.

Comecei simplesmente tocando o ruído do *scanner* em baixo volume em um aparelho de som enquanto fazia o treinamento com Callie. Ela aprendeu rapidamente a ignorá-lo.

Callie usando os protetores de ouvido e aprendendo a usar a prancha no descanso de queixo da bobina (foto de Gregory Berns).

A cada dia eu aumentava um pouco o volume. Porém, logo chegaria a um nível de ruído desagradável. Hora de apresentar Callie aos protetores de ouvido.

Os pacientes humanos usam protetores de ouvido, mas ainda não encontrei um cachorro que deixe colocar qualquer coisa em seus ouvidos. Além disso, o canal auditivo de um cão faz uma curva em ângulo reto. Se um protetor de ouvido ficasse preso no canal além da curva, talvez não conseguíssemos retirá-lo. A única alternativa eram os protetores de ouvido que ficavam do lado de fora de cada orelha. Surpreendentemente, descobri a Safe and Sound Pets, uma empresa que fabrica os Mutt Muffs. O fundador da empresa, piloto de pequenas aeronaves, percebeu a necessidade de proteger a audição de seu cão ao levá-lo nos voos. Ele adaptou protetores auriculares humanos a uma forma mais triangular que caberia na cabeça da maioria dos cães. Encomendamos vários conjuntos em tamanhos diferentes.[11]

Callie não ficou tão animada com os Mutt Muffs. Foram necessários muitos pedaços de cachorro-quente, primeiro para colocar o nariz na alça formada pela tira do queixo e, por fim, para me deixar empurrar os protetores de ouvido em volta da cabeça. Mesmo assim, imediatamente ela os tirava. Eu não forcei. Seguindo o conselho de Mark, ampliei aos poucos o tempo que ela teve que usá-los antes de dar um pedaço de cachorro-quente. Logo, Callie ficaria com os protetores de ouvido, subiria os degraus até o tubo e pousaria a cabeça no descanso de queixo da bobina de cabeça.

Estava sendo mais rápido do que eu esperava. Melissa estava trabalhando com McKenzie em paralelo; sem surpresa, elas fizeram um progresso ainda mais rápido. Na verdade, o treinamento estava indo tão bem que nem tinha parado para refletir sobre o que estávamos fazendo com o cérebro deles, que, afinal de contas, era o assunto do Dog Project.

Embora estivéssemos usando princípios behavioristas básicos para moldar um comportamento complexo nos cães, não poderíamos explicar o que os cães pensavam de tudo isso. Se nos importássemos apenas com o comportamento, os motivos de um cachorro para fazer alguma coisa ou o que ele pensava não teriam relevância. Mas se chegássemos ao ponto de realmente escanear seus cérebros, as motivações dos cães poderiam ter grande impacto no que iríamos encontrar. Fazer algo por comida pareceria muito diferente de fazer algo por elogio social ou, ouso dizer, amor.

Eu tinha a incômoda sensação de que a facilidade com que os cães entram nas vidas humanas não pode ser explicada integralmente pelas teorias behavioristas. Para fazerem o que fazem, os cães devem ter uma vida interior complexa que vai além de uma cadeia de ações que resulta em comida. Cães devem ter um modelo mental muito rico de seu ambiente. Como animais altamente sociais, esses modelos mentais tendem a ser fortemente influenciados pelas relações sociais. Não apenas relações de dominância e subordinação, mas modelos mais fluidos de como devem se comportar com os membros de sua família, seja com outros cães, seja com humanos, e como essas interações afetarão seu atual estado de bem-estar.

Isso leva a perguntar quem está treinando quem. Skinner e Pavlov estavam parcialmente certos. Seus princípios são eficazes no comportamento de treinamento. Mas eles estudaram animais em laboratório – um lugar onde o humano controla o prazer e a dor. Cães em seu ambiente nativo – o lar humano – interagem conosco de uma maneira muito mais natural. Existe o dar, o receber, e testar, em ambos os lados.

10

O substituto

Callie e Mckenzie progrediam rapidamente em seu treinamento, e logo estaríamos prontos para passar ao verdadeiro *scanner*. Embora a maquete da bobina de cabeça e o tubo fossem bastante similares à ressonância magnética real, eles não eram o aparelho verdadeiro. Não havia como simular odores e sons de hospital, por exemplo. Não saberíamos como os cães reagiriam até que os levássemos lá de fato.

O primeiro contato com a ressonância magnética real seria decisivo. Cães podem formar impressões negativas de ambientes com base em apenas um evento: um barulho alto, como uma porta batendo, um encontro com alguém que não gosta de cachorros. Qualquer uma dessas situações poderia afetar permanentemente a impressão de um cão em relação à RM. Se isso acontecesse, e o cão não quisesse se aproximar do *scanner*, todo o treinamento que fizemos teria sido desperdiçado.

Mark e eu estávamos especialmente preocupados com o barulho. O próprio *scanner* de ressonância magnética produz uma grande variedade de sons. O campo magnético está sempre ligado, o que exige manutenção constante por uma série de dispositivos, como as bombas que circulam água gelada ao redor do ímã. Ao entrar na sala, a primeira coisa que se ouve é o batimento cardíaco das bombas de circulação. Se escutar atentamente, você também ouvirá a máquina respirando, o som da "cabeça fria" – um compressor que mantém o hélio sob pressão.

Como os cães reagiriam a essa máquina viva?

Ao escanear um paciente, a RM é barulhenta. Dependendo das configurações específicas, uma ressonância magnética pode atingir quase cem decibéis. Cada seis decibéis significa uma duplicação da pressão sonora. Uma conversa normalmente tem cerca de sessenta decibéis. Sons de trânsito carregado, oitenta ou noventa. Uma britadeira são cem decibéis. O dano auditivo para os humanos começa em cerca de 120 decibéis, o equivalente a um motor a jato a cem metros de distância. Ninguém sabe em que nível ocorre dano auditivo em cães, mas um ponto de referência é a caça. Os registros do volume de uma bala de calibre de caça são de 170 decibéis, e a perda auditiva após a exposição repetida por arma de fogo é um fenômeno bem conhecido tanto nos cães de caça quanto nos cães de trabalho militar.

Os protetores de ouvido podem reduzir os níveis sonoros em vinte ou até trinta decibéis, de modo que, supondo que a audição de um cão seja mais sensível do que a de um ser humano, Callie e McKenzie ficariam bem desde que usassem proteção auditiva.

No entanto, a questão do volume da ressonância magnética não era tudo. O tipo de som produzido também pode ter grande efeito nos cães. A ressonância magnética faz diferentes tipos de sons, dependendo do tipo de escaneamento cerebral que está sendo feito. Algumas varreduras soam como um enxame de abelhas, enquanto outras são como a buzina de um submarino se preparando para mergulhar. O som específico depende de dezenas de parâmetros programados para cada varredura. Esses parâmetros indicam quantas fatias do cérebro serão feitas, quão espessas elas serão, e se devem se concentrar na massa cinzenta (neurônios), na massa branca (conexões entre neurônios) ou nas mudanças no fluxo sanguíneo, como fazemos em RM funcional. A única maneira de obter uma gravação precisa dos sons que os cães experimentariam durante o exame seria programar a sequência real do escaneamento com os parâmetros exatos necessários para examinar os cérebros dos cães. Mas como ninguém havia escaneado o cérebro de um cão antes, pelo menos não com ressonância magnética funcional, não tínhamos ideia de quais seriam as configurações exatas.

Ao colocar um cão no *scanner*, poderíamos descobrir as configurações corretas, mas precisávamos das configurações corretas para gravar os sons para treiná-lo para colocá-lo no *scanner* antes de qualquer coisa.

Eu me sentia como um cachorro correndo atrás da própria cauda.

Na reunião do laboratório, apresentei o enigma.

"E se você usar as configurações humanas padrão para gravar o ruído do *scanner*?", Lisa sugeriu.

"Pode ser suficiente", eu disse. "Mas e se não for?"

"Aposto que os cachorros vão perceber a diferença", disse Andrew. "Se os treinarmos com sons errados, eles podem surtar quando ouvirem a coisa real."

"Precisamos de um substituto", eu disse. "Algo que fique no lugar do cachorro enquanto mexemos nas configurações do *scanner*."

Lisa franziu a testa em pensamento. Todos os outros olharam para o chão. Antes que alguém sugerisse isso, eu rejeitei o óbvio.

"Não vamos usar um cachorro morto."

"Por que você não vai ao supermercado, compra um bife e escaneia isso?", brincou Gavin.

"Você quer dizer como o famoso estudo do salmão morto?", Andrew perguntou.

Alguns anos antes, os neurocientistas haviam feito uma RM funcional em um salmão comprado no mercado de peixes local. Como escreveram em seus registros, o peixe "não estava vivo no momento do escaneamento". Eles apresentaram os resultados em uma conferência, mas a maioria dos cientistas encarou isso como uma piada. Mas eles não estavam brincando. O objetivo era medir a precisão da ressonância magnética funcional e como a técnica às vezes poderia levar ao surgimento de atividades cerebrais que na verdade não estavam lá. Obviamente, um salmão morto não poderia ter nenhuma atividade cerebral, mas os cientistas mostraram que, com uma técnica estatística ruim, isso pode acontecer.

A piada de Gavin não foi tão ruim. Mas um bife (ou um salmão) seria um péssimo substituto para um cachorro.

"Precisamos de algo mais parecido com um cão", eu disse.

"Um porco?", disse Gavin.

"Grande demais."

"Que tal um cordeiro?", Andrew sugeriu.

"Será que podemos comprar um cordeiro inteiro no mercado?", perguntei-me.

Depois de telefonar para alguns açougueiros locais, Andrew encontrou uma pista. Não era um cordeiro inteiro – precisaríamos pedir diretamente de uma fazenda –, mas havia um mercado que poderia nos vender uma cabeça de cordeiro.

"Acho que ele disse que recebem a entrega de cabeças de cordeiro às quartas-feiras", explicou Andrew. "Não tenho certeza porque não consegui entender direito o que ele estava dizendo. Mas ele certamente disse que as cabeças são rapidamente vendidas."

"Hoje é quarta-feira", exclamei. "Depressa!"

O mercado de carne halal não tinha letreiro. O "mercado" consistia em um balcão na parte de trás de uma loja de conveniência, que ficava esprimida em um *shopping* em ruínas e compartilhava uma parede com uma locadora especializada em filmes do Oriente Médio pirateados.

Andrew e eu entramos para encontrar um trio de homens barbudos, encostados na caixa registradora, fumando cigarros e assistindo futebol na TV. Eles não disseram nada quando nos dirigimos para a parte de trás da loja. Notei alguns canos de água elaborados em exibição.

No balcão do açougueiro, uma porção de carnes de órgãos brilhava sob o vidro. Pude reconhecer alguns rins. O resto, não muito. Os animais de origem também eram um mistério para mim.

Um sujeito atarracado, vestindo uma camisa de futebol apertada, espiava por cima do balcão. "Você é o cara que telefonou sobre cabeça de cordeiro?", ele perguntou com sotaque do Oriente Médio.

"Sim."

"Quantas você quer?"

Andrew e eu nos entreolhamos.

"Quantas você tem?", eu respondi.

"Muitas."

Nos reunimos brevemente e decidimos que deveríamos ter uma sobra caso algo desse errado.

"Duas", eu disse.

O açougueiro desapareceu por uma porta coberta com ripas de vinil. Um momento depois, ele retornou e depositou duas cabeças no balcão com um som autoritário.

"Elas estão congeladas", eu disse.

"Sim", disse o açougueiro, "recém-congeladas."

Elas tinham a aparência semelhante à de um cordeiro, mas como toda a lã havia sido removida, era difícil dizer o que eram. Os lábios haviam se retraído um pouco e os rostos estavam fixos em uma expressão permanente.

O tamanho estava certo, eu tinha que admitir. Na verdade, elas tinham o mesmo tamanho da cabeça de Lyra. Estremeci e tirei essa imagem desagradável da minha mente.

"Onde está o resto do cordeiro?", perguntei.

"Apenas a cabeça", respondeu ele.

"Elas ainda têm cérebro?"

O açougueiro levou os dedos até a boca no sinal conhecido pelos visitantes de todo o mundo e disse: "Sim. Uma iguaria".

Em um mundo ideal, teríamos conseguido um cordeiro inteiro para substituir um cachorro. Qualquer coisa que você coloque dentro de uma RM perturba o campo magnético. Quanto maior o objeto, maior a perturbação, e, como o *scanner* compensa esses distúrbios, ele produz diferentes tipos de sons. A cabeça do cordeiro não teria massa suficiente para reproduzir a perturbação criada por um cão. Nós precisávamos de mais alguma coisa.

Andrew apontou para um par de patas na vitrine do açougue. Elas pareciam ser as patas dianteiras de um bezerro começando logo acima da articulação do tornozelo. Na ressonância real, os cães seriam examinados em posição de esfinge. Suas cabeças estariam levantadas, apoiadas em um descanso de queixo, e as patas dianteiras estariam estiradas para frente. Andrew percebeu que podíamos usar as patas de bezerro para simular as patas dianteiras do cachorro.

Essa combinação resultaria em algo aproximado à forma e massa das partes do cão que estariam no centro do *scanner*. Nós pagamos por nossas carnes e voltamos para o laboratório com duas cabeças de cordeiro e um par de patas de bezerro.

Os vegetarianos no laboratório não ficariam felizes.

Deixamos as cabeças descongelando durante a noite e reservamos um horário no *scanner* de RM para a noite seguinte. Escanear partes de animais mortos na ressonância magnética é o tipo de coisa que deve ser feito com discrição. Depois de descongeladas, as cabeças, agora nadando em seus próprios fluidos, pareciam ainda piores. Seus olhos assumiram uma aparência opaca. Andrew e eu empacotamos tudo e fomos para o *scanner*.

Fomos recebidos por Lei Zhou, um pós-doutorado chinês de plantão na véspera. Lei recebeu seu PhD em física e estava intimamente familiarizado com a magia técnica por trás da ressonância magnética. Seu inglês, no entanto, tinha um longo caminho a percorrer.

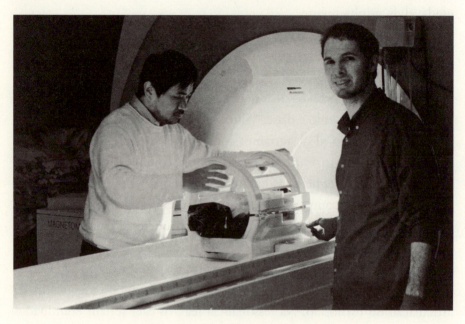

Lei e Andrew se preparando para escanear a cabeça do cordeiro (foto de Gregory Berns).

Eu só esperava que nos entendêssemos durante esse procedimento incomum.

Andrew descarregou nossa bagagem e nós a colocamos na bobina de cabeça do *scanner*. Com almofadas de espuma sustentando as partes do corpo, Lei encaixou a parte superior da bobina e enfiou toda aquela bagunça no centro do *scanner*.

Quando você coloca algo na ressonância magnética, o campo magnético puxa os átomos dentro do objeto. Em tecidos vivos ou, como no caso da cabeça do cordeiro, um tecido anteriormente vivo, o hidrogênio é o átomo mais comum. Existem dois átomos de hidrogênio em cada molécula de água, e a água é responsável por 60% do peso corporal em humanos. O hidrogênio também é abundante no cérebro. As membranas externas dos neurônios e suas células de suporte, chamadas glia, são ricas em gordura e colesterol, que contêm muitos átomos de hidrogênio.

Um átomo de hidrogênio tem um próton e um elétron. O próton é como um pião. Normalmente, os prótons giram em direções aleatórias, mas dentro da RM eles se alinham com o campo magnético. Assim como os piões, os prótons também oscilam um pouco. Quanto mais forte o campo magnético, mais rápido eles oscilam. Se você atingir os prótons com ondas de rádio exatamente sincronizadas com essa oscilação, os prótons saltam para um estado de maior energia. Isso é chamado de ressonância magnética. Diferentes tipos de átomos ressoam em diferentes frequências. Para a força do *scanner* que usamos, o hidrogênio ressoa em 127 MHz, que fica na faixa das ondas de rádio – logo depois do sinal FM. O carbono, outro elemento comum no corpo, ressoa a 32 MHz. A ressonância magnética funciona enviando uma explosão de ondas de rádio que agitam o átomo de interesse – na maioria dos casos, o hidrogênio, tendo em vista sua abundância e maior sensibilidade aos campos magnéticos. Quando as ondas de rádio são desligadas, os prótons retornam ao seu estado original e, nesse processo, criam um campo magnético oscilante que pode ser captado por uma antena. A bobina de cabeça nada mais é do que uma antena de rádio FM sofisticada que capta esses sinais dos prótons no cérebro.

Nem todos os prótons se comportam da mesma maneira. Os prótons em uma molécula de água são ligeiramente diferentes dos prótons em uma molécula de gordura. Essas pequenas diferenças podem ser detectadas pela ressonância magnética e, com a ajuda de um computador, podem ser usadas para construir uma imagem visual que representa os tipos e as localizações dessas diferentes moléculas.

Precisamos fazer três tipos de varreduras em cada paciente. O localizador, que dura apenas alguns segundos, fornece uma imagem da localização e orientação da cabeça no ímã. A varredura localizadora da cabeça do cordeiro deu certo. Conseguimos distinguir o cérebro claramente; as configurações humanas do localizador pareciam funcionar. Em seguida foi a imagem estrutural. Para os humanos, nós gostamos do máximo possível de detalhes anatômicos, mas isso tem que ser conciliado com o tempo necessário para obter imagens de alta resolução. Imagens claras o suficiente para revelar traços milimétricos levam seis minutos até a conclusão. Os seres humanos não têm nenhum problema em ficar parados por tanto tempo, mas não havia como fazer isso com nossos cães. Eu disse a Lei que precisávamos criar uma sequência estrutural que não levasse mais que trinta segundos. Imaginei que esse seria o limite para a maioria dos cachorros.

Isso se tornou um problema. As verificações estruturais normais não poderiam ser concluídas tão rapidamente, então precisamos mudar para um tipo diferente de varredura. A nova versão não mostrava tantos detalhes, mas conseguimos encontrar uma combinação de parâmetros que produziu uma imagem utilizável em menos de trinta segundos.

Passamos muito tempo tentando descobrir a melhor orientação do cérebro. Se imaginarmos que a ressonância magnética é um cortador de pão digital, nós precisávamos decidir qual a maneira de cortar as fatias: da esquerda para a direita, de cima para baixo ou de frente para trás. Como a cabeça humana é similar a uma esfera, não faz muita diferença como você a corta. Mas a cabeça de um cachorro, como a do cordeiro, é alongada da frente para trás e geralmente é bem plana, de cima a baixo.

Quando as imagens da cabeça do cordeiro apareceram na tela, vimos que uma pequena parte da cabeça estava realmente ocupada pelo cérebro. A maior parte era nariz e músculos.

10. O substituto

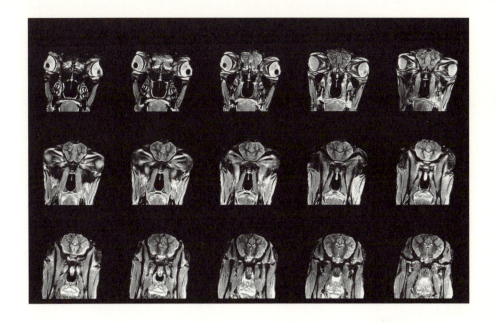

Imagens anatômicas da cabeça do cordeiro. As fatias vão da frente para trás. Os globos oculares são visíveis na linha superior, enquanto o cérebro aparece em destaque nas fileiras intermediárias e inferiores. As grandes cavidades escuras são os seios nasais (foto de Gregory Berns).

Essas bolsas de ar no nariz podem causar estragos nas imagens de ressonância magnética também. Transições abruptas na densidade do tecido, como a passagem do ar para o crânio, causam distorções no campo magnético, que resultam em imagens distorcidas. Ao selecionar cuidadosamente a orientação das fatias, você pode minimizar esse efeito. Cortar da frente para trás parecia nos dar os melhores resultados.

Finalmente, era hora de tentar algumas varreduras funcionais, que são vislumbres de dois segundos do cérebro em ação. Ao realizar continuamente essas varreduras funcionais enquanto o paciente faz algo, podemos analisar as mudanças na atividade cerebral. Pense nas varreduras funcionais como os quadros individuais de um filme. Embora cada um demore apenas dois segundos, o paciente pode ficar no *scanner* por meia hora durante a varredura funcional. Ao longo desse tipo de sessão, obteríamos novecentas imagens funcionais, a uma taxa de trinta varreduras por minuto durante trinta minutos.

Claro, o cordeiro estava morto, então não esperávamos ver muita "atividade". Mas nós só precisávamos descobrir quantas fatias seriam necessárias para abranger todo o cérebro e como orientar o cérebro para uma cobertura mais eficiente. Depois que resolvemos isso, Andrew e eu gravamos os sons do *scanner* executando essa sequência.

Enfim poderíamos apresentar Callie e McKenzie ao ruído real que elas experimentariam no *scanner* e gradualmente deixá-las se acostumar com ele.

A cenoura ou a vara?

O desafio de colocar a cabeça na bobina de cabeça e descansar o queixo na prancha tinha sido superado havia muito tempo. Assim que Callie ouvia o farfalhar do saco plástico contendo pedaços de cachorro-quente picado, ela sabia. Ela entrava na cozinha abanando o traseiro e olhava-me com excitação e ansiedade.

"Quer fazer um pouco de treinamento?", eu perguntava em voz alta.

Nosso regime de treinamento havia ultrapassado o porão. O único cômodo da casa grande o suficiente para conter o que era agora um simulador de ressonância magnética completo era a sala de estar. Kat olhou para aquela monstruosidade em sua sala de estar, um espaço antes ocupado por um elegante conjunto de sofás e mesa de centro que estavam agora em um canto.

"Não há outro lugar para isso?", ela perguntou.

"É muito pesado para descer para o porão", respondi. "E eu não acho que vai passar pela porta."

"Você quer dizer que construiu isso na sala de estar sem uma maneira de tirá-lo daqui?"

"Não, não", assegurei-lhe. "Ele é desmontável."

Eu tinha tirado o pó de um sistema de PA que sobrara da minha época de guitarrista em uma banda de garagem. Quando coloquei os alto-falantes em um suporte de frente para o tubo, Helen entrou na sala de estar.

"Para que isso serve?"

"Para simular o ruído do *scanner*", expliquei. "É a única coisa que temos que é alto o suficiente."

Ela assentiu e juntos plugamos os cabos dos alto-falantes no amplificador. Nós apontamos um alto-falante para a lateral do tubo, de modo a simular as vibrações que percorrem a ressonância magnética. O outro alto-falante foi colocado no final do tubo para atingir o nível máximo de decibéis no interior.

"Papai?"

"Sim?"

"Posso ir com você quando for escanear Callie?"

Essa pergunta me pegou de surpresa. Me perguntei o que tinha motivado isso.

"Por que você quer ver o experimento?", perguntei. "Pode até não funcionar."

"Eu sei, mas eu quero ver", disse ela.

"É porque você quer faltar na escola?"

Ela se virou e murmurou: "Talvez". Mas, recuperando-se rapidamente, ela continuou. "Esse não é o motivo principal. Eu realmente quero ver o experimento. Você não diz sempre que a ciência real é muito empolgante? Eu não aprenderia mais lá do que na escola?"

Nesse ponto, sua lógica era impecável.

"Preciso pensar a respeito."

Eu não tinha dúvida de que Helen aprenderia mais sobre ciência assistindo a essa experiência do que em uma semana inteira de aulas no ensino médio.

Aquele era o primeiro ano do ensino médio de Helen, e a transição da escola primária foi um choque para todos nós. A carga de trabalho era muito maior do que aquela com a qual ela estava acostumada, e ainda não tinha conseguido descobrir como equilibrar os deveres de casa e a diversão. Além das matérias usuais como matemática, inglês e estudos sociais, a escola exigia latim para todos os alunos da sexta série. Em um caso clássico de confusão entre correlação e causa, o comitê curricular citou estudos mostrando que crianças que aprenderam latim se saíram melhor no SAT, concluindo então que, se todas as crianças estudassem latim, suas pontuações nos testes melhorariam. Contudo, só porque as crianças que estudam latim têm maiores notas no SAT não significa que o latim seja a causa. Essas crianças podem já ter um vocabulário maior e um interesse em aprender outro idioma.

No entanto, o latim não era o problema. Para meu espanto, o problema era a ciência.

No começo do ano, tentei explicar a Helen que a ciência está sempre mudando.

Ao que ela perguntou: "Você quer dizer que essas coisas estão erradas?".

"Algumas delas."

"Então por que estou aprendendo isso?"

Porque o Estado diz que você deve aprender, eu pensei. Mas o que eu disse foi: "A ciência é uma maneira de responder a perguntas sobre o mundo ao nosso redor. O que você está aprendendo é nossa compreensão atual do universo. À medida que aprendemos mais, nosso entendimento muda".

"Eu ainda odeio isso."

Eu compreendi sua frustração. Ela realmente tentara memorizar os fatos da geologia e os sistemas climáticos das regiões do Delta do Mississippi e do Piemonte, no sudeste. Mas não importava o quanto ela estudasse, o professor de ciências parecia lançar perguntas obscuras para as crianças que seriam mais apropriadas para uma escola secundária ou uma aula introdutória em faculdades.

O novo semestre tinha acabado de começar quando Helen me perguntou sobre a realização das primeiras varreduras. Na manhã seguinte, estávamos parados no ponto de ônibus.

"Você tem alguma prova esta semana?", perguntei. Seu rosto empalideceu.

"Que dia é hoje?"

"Terça-feira."

"Acho que tenho uma prova de ciências hoje."

Fiquei furioso. "Helen, você acabou de ter um fim de semana de três dias, e não estudou nada?"

"Eu esqueci."

"E, além disso, você quer matar aula para ver o Dog Project?"

Seus olhos estavam começando a lacrimejar.

"Eu sei a matéria."

"Como pode saber a matéria se você não estudou?"

Não houve resposta à minha pergunta. Ela entrou no ônibus e eu voltei para casa frustrado por ela não estar priorizando seus trabalhos escolares. Kat e eu estávamos prontos para colocar Helen de castigo assim que ela chegasse em casa naquela noite. No passado, quando recebia notas abaixo de 8 em seus testes, ela ficava sem usar o computador até que suas notas melhorassem. Embora essa tenha sido uma estratégia eficaz para evitar que ela perdesse tempo com jogos de computador, o tempo livre não se traduziu em mais horas de estudo. A hora do computador foi substituída pela hora do mau humor. Ela estava indo bem no aperfeiçoamento da arte de ficar emburrada.

Desde o dia em que se juntou à nossa família, ficou claro que Callie era um cão alfa. Na terminologia de Cesar Millan, ela queria ser a líder da matilha.[12] Ela pulava na mobília sempre que queria. Quando Lyra começava a mastigar um osso, Callie corria para tirá-lo, apenas para largá-lo no chão a poucos metros de distância, indicando que ela determinava quem teria permissão para comer a "presa". E quando Callie se acomodava em nossa cama à noite, quase sempre estava em uma posição desconfortável para os ocupantes humanos. A expressão "deixar quietos os cães que dormem" deve ter sido inspirada em Callie, pois qualquer tentativa de movê-la para um local mais confortável era recebida com o rosnado mais agressivo da pequena criatura.

Da mesma forma, seu apetite insaciável significava que toda a comida tinha que ser colocada no fundo do balcão da cozinha. Com o focinho longo, ela podia pegar qualquer pedaço de comida próximo, mesmo que não pudesse vê-lo. Certa vez, ela lambeu precisamente metade de uma torta de abóbora, que era a extensão do alcance de sua língua. Toda vez que a pegávamos com as patas no balcão, gritávamos para ela descer. Embora ela obedecesse ao comando, isso nunca a impediu de repetir a ação, geralmente poucos minutos depois.

Foi esse comportamento teimoso que nos fez duvidar da capacidade de Callie de participar do Dog Project. Mais tarde percebi que os aspectos problemáticos de seu comportamento não tinham nada a ver com sua capacidade de aprender. Ela não apenas poderia aprender uma tarefa complexa como ir ao *scanner* de ressonância magnética, ela realmente poderia aprender a se divertir com isso.

Eu me perguntei se algo semelhante poderia estar acontecendo com Helen.

Toda vez que ela ia mal em uma prova de ciências, usávamos o equivalente a um esguicho de água para conter o mau comportamento: uma bronca seguida por uma leve punição. A punição pode ser muito eficaz na formação do comportamento, mas só funciona quando existe uma ameaça real de punição presente. Isso é tão importante que vale a pena repetir: *apenas a ameaça* de punição pode mudar um comportamento. Assim que a ameaça desaparece, o comportamento retorna ao seu estado natural. A punição após o fato serve apenas para estabelecer uma ameaça verossímil no futuro, mas não faz nada para mudar o que já aconteceu.

A falta de estudo de Helen eram águas passadas. Colocá-la de castigo não mudaria a inevitável nota ruim que ela estava prestes a receber. Isso a faria estudar mais no futuro? Possivelmente, mas apenas sob a constante ameaça de punição. Tinha que ter uma maneira melhor de lidar com isso.

Eu perguntei a Kat o que ela pensava.

"Eu também não gosto da ideia de punir nossos filhos por não estudar", disse ela.

"Gostaria que Helen quisesse estudar", eu disse. "Mas se eu tivesse que estudar com um livro desses, provavelmente também não estudaria."

"O que podemos fazer?", Kat perguntou.

"Talvez precisemos dar mais cenoura e menos vara."

Colocamos nosso plano em ação na mesa de jantar naquela noite. Como era de se esperar, Helen achou que não se saíra muito bem na prova e jantou de mau humor. Maddy sentiu a tensão e permaneceu em silêncio.

Com grande solenidade, anunciei: "Mamãe e eu temos pensado muito seriamente sobre o Dog Project".

Preparando-se para a inevitável bronca que viria, Helen não levantou os olhos do prato.

"Helen", continuei, "você realmente quer ver a varredura no grande dia?"

"Sim", ela implorou.

"Tudo bem. Mamãe e eu discutimos isso, e como será algo especial e pode nunca mais acontecer, queremos deixar você ir."

"Sério?", ela exclamou.

"Isso é importante para você?", perguntei. Ela assentiu vigorosamente.

"Bom", continuei, "porque existe uma condição."

"O quê?", Helen perguntou.

"Para que você falte à escola, você precisa melhorar sua nota de ciências para um A", expliquei. "Se você tirar um A nessa matéria, você poderá ir. O Dog Project é muito importante para mim, e eu realmente gostaria que você estivesse lá para compartilhar isso."

"Eu posso fazer isso!", ela concordou.

Nos dias seguintes, a perspectiva de reforço positivo teve o efeito desejado. Embora Helen ainda não gostasse de estudar ciências, havia uma notável diminuição na resistência às tarefas de casa. Ela se apressou em fazer cartões de memorização e tentou seriamente aprender toda a matéria. Kat e eu demos tapinhas nas costas um do outro, celebrando nosso sucesso em aplicar a teoria do treinamento de cães ao comportamento pré-adolescente.

Mas, como no treinamento canino, a eficácia está nos detalhes.

Em grande medida, Callie estava progredindo no treinamento porque eu estava começando a aprender como deixar claro o que eu esperava dela. Um passo de cada vez, juntamente com recompensas consistentes, contribui para uma aprendizagem eficaz. Mas se o comportamento desejado é muito difícil, a recompensa torna-se inatingível, e a motivação declina.

Com Helen, o comportamento desejado era claro: tire uma nota A. Mas o que acabei negligenciando era a inerente imprevisibilidade de seu professor de ciências. Presumi erroneamente que, se Helen fizesse o esforço necessário, ela seria recompensada com uma boa nota.

Ledo engano.

Uma semana depois, apesar de todos os esforços, ela voltou para casa com 7,5 em um teste. Isso praticamente eliminou a possibilidade de elevar sua nota para um A, pelo menos até o lançamento do Dog Project.

"Eu realmente tentei", disse ela. "Ele dá provas muito difíceis."

Agora Kat e eu estávamos em uma posição difícil. Helen não conseguira atingir o objetivo que havíamos estabelecido. Se estivéssemos falando de Callie, eu simplesmente a faria tentar de novo até que ela fizesse o que eu queria. Mas não só estávamos ficando sem tempo, faltava uma semana para o dia da varredura, como eu também não contava com um elemento fora do meu controle: a imparcialidade da prova.

De certo, Helen poderia ter se esforçado mais. Tendo feito metade do ano escolar, ela já sabia como eram as provas. Mas esse não era o ponto. Ela fizera o que pedi, que era redobrar seus esforços para estudar.

O compromisso que fizemos com esse acordo foi uma declaração explícita e concreta do que se esperava, um objetivo que estava inteiramente sob seu controle.

"Eu ainda quero que você assista às varreduras", eu disse. "Eu sei que os testes são difíceis. Então, que tal você adicionar uma hora extra de estudo todos os dias até o dia da RM?"

"Se eu fizer isso, poderei ir?"

"Sim, mas para ter certeza de que você está estudando as coisas certas, tem que ser comigo ou com a mamãe."

Helen já tinha uma a duas horas de lição de casa por dia, então isso não foi recebido com entusiasmo. Mas uma aceitação relutante seria suficiente.

Ela se recusou a estudar comigo naquela noite. Mas nos dias seguintes, o ressentimento diminuiu, e Helen permitiu que eu entrasse em seu quarto para revisar os conceitos de ciências e de matemática. Eu esperava que minhas explicações de como as coisas funcionam, de alguma forma, ajudassem-na a lembrar da lista de fatos que seriam cobrados na prova. Mas tudo o que eu realmente queria era uma desculpa para compartilhar com Helen a empolgação do Dog Project e que pudesse ver como era a verdadeira ciência em ação.

12

Cães no trabalho

O ensaio geral de Callie no *scanner* deixou claro que os cães deveriam ser treinados a outras situações e não apenas a entrar na ressonância magnética. Eles precisavam se acostumar com toda a experiência. Nós queríamos que estivessem pacíficos e equilibrados no dia da varredura. Quanto mais acostumados com o ambiente, mais calmos eles ficariam. Por causa de suas competições de agilidade, McKenzie estava acostumada às estradas, e viajar não a incomodava. Mas Callie era um cão caseiro e não gostava muito de viajar de carro. Afinal de contas, a maioria de suas viagens de carro terminara no veterinário para uma série de injeções ou coisa semelhante.

Então, comecei a trazer Callie para o trabalho.

Colocá-la no carro era a parte mais difícil. Eu dizia "Quer ir trabalhar?", e Callie corria até a porta da garagem e saltava para cima e para baixo como se suas pernas fossem feitas de molas. Porém, quando abria a porta do carro, ela recuava, colocando o rabo entre as pernas. Ela enrijecia quando a colocava no banco da frente. Mesmo quando estávamos em movimento, ela nunca relaxava e ainda tentava sentar-se no meu colo enquanto eu dirigia. Depois de um tempo, nos acomodamos em uma posição mutuamente aceitável com ela de pé, pernas traseiras no banco do passageiro e pernas dianteiras no console central, de frente para mim. Ela tremia durante todo o trajeto de trinta minutos de casa até o *campus*. O nervosismo também fazia com que ela perdesse pelo, deixando chumaços de pelos pretos em todos os assentos.

Assim que chegamos a Emory, Callie voltou a ser ela mesma, uma cadela normal e alegre. A curta caminhada do estacionamento para o laboratório provocou sorrisos em todos os que cruzaram o nosso caminho. Callie gostava de subir em uma parede de pedra, quase na altura da cintura, em frente ao prédio do laboratório, onde trotava ao meu lado, fazendo sua melhor imitação de um cachorro de circo na corda bamba.

Dentro do laboratório, ela cheirava cada uma das latas de lixo, procurando por restos de comida. Uma vez convencida de que não havia comida, ela interrogava as pessoas. Lisa baixava o rosto para a altura do cachorro e dizia "Callie!"; Callie ficava de pé em suas pernas traseiras para lamber o rosto de Lisa. Os rapazes eram amigáveis, mas não tão demonstrativos, e tentaram entreter Callie jogando uma bola de tênis ao redor. Mas Callie não era uma *retriever*. Seu interesse por coisas em movimento tendia mais para animais pequenos e peludos.

Em cada visita ao laboratório, eu trazia um brinquedo para mantê-la ocupada. Não demorou muito para que ossos e brinquedos ficassem espalhados pelo chão. Uma tigela de água estava em um canto, uma cama de cachorro em outro. O laboratório estava começando a parecer a minha casa.

Cautelosos, incluímos uma passagem no protocolo oficial da CICUA especificando que primeiramente os cães seriam familiarizados com o ambiente do *scanner*. Isso minimizaria a chance de os cachorros surtarem e saírem correndo por aí. Embora a intenção fosse apaziguar os advogados avessos a riscos, tínhamos o óbvio benefício de que os cães precisariam se familiarizar não apenas com o *scanner*, mas também com a área de testes – o laboratório. Portanto, quando trouxe Callie para o trabalho, eu estava apenas seguindo o protocolo.

Ainda de acordo com nosso protocolo, precisaríamos encontrar os pacientes certos. Mark sugeriu uma lista de características ideais: calma, facilidade com ambientes novos, boa índole com estranhos, sociável com outros cães, inquisitivos, acostumados a barulhos altos, sem medo de altura e capazes de usar protetores de ouvido. Essas características foram especificadas no protocolo oficial da CICUA que nos deu permissão para fazer a pesquisa.

Não importava que Callie e McKenzie já tivessem sido selecionadas como nossos dois primeiros pacientes. Ainda precisaríamos de mais cachorros. Precisávamos de substitutos para o caso de Callie ou McKenzie não conseguirem entrar na RM. Claro, poderíamos realizar testes de cães no TAP, e eventualmente o faríamos, mas poderíamos realizar facilmente "audições" no laboratório. Como os cães ainda não estavam qualificados para ser pacientes da pesquisa e, portanto, não se enquadravam nas regras do CICUA, eles estavam em uma zona cinzenta entre animais de estimação e de pesquisa. Infelizmente, animais de estimação não eram permitidos.

Um dia, Andrew trouxe seu *poodle toy*, Daisy. Andrew nos advertiu que era uma cadela temperamental e latia quando ficava ansiosa, o que era bem frequente. Nós já estávamos ultrapassando os limites das regras de pesquisa, e se tivéssemos reclamações de barulho, os cães não seriam mais bem-vindos. No entanto, Daisy estava se comportando bem. Ela não se afastou muito de Andrew, e ele limitou a duração da visita. Ele não se atreveu a trazer seu outro cão, um esquimó americano chamado Mochi. Ele costumava urinar quando ficava muito animado. Outros membros do laboratório logo seguiram o exemplo. Um dia fui recebido por dois belos *huskies*, London e Reyna. Outro dia, o *goldendoodle* de Lisa, Sheriff, fez uma visita. Sheriff era um cruzamento dourado e cacheado entre um *golden retriever* e um *poodle* padrão. Ele não se qualificava para o Dog Project apenas por seu tamanho.

Os cães tiveram um efeito notável no estado de espírito do lugar. O laboratório ficou mais relaxado. Os alunos estavam menos aflitos por quaisquer problemas que surgissem em suas pesquisas. O simples roçar de um cachorro passando, ou a sensação de um nariz frio e úmido na mão, eram o suficiente para diminuir o nível de estresse de qualquer um. As pessoas riram mais.

Os efeitos benéficos dos cães no local de trabalho já haviam sido bem documentados. Sandra Barker, professora da Universidade Comunitária da Virgínia e diretora do Centro de Interação Homem-Animal, estuda os efeitos de animais domésticos no trabalho há mais de uma década. Em 2012 sua equipe mediu os níveis de estresse dos trabalhadores que podiam trazer seus cães para o trabalho. Normalmente, o estresse é menor pela manhã e aumenta gradualmente ao longo do dia. Mas a presença de cães manteve o estresse relatado pelos funcionários em seus níveis matinais durante todo o dia. Os pesquisadores também descobriram que a presença de cães aumentava a comunicação entre os trabalhadores.[13]

12. Cães no trabalho

Se esses efeitos sobre o estresse são simplesmente uma questão de percepção, é difícil de determinar. A prova mais concreta seria a redução do hormônio do estresse no corpo, o cortisol. O cortisol é produzido pelas glândulas suprarrenais, que ficam em cima dos rins. Quando uma pessoa está estressada por algum motivo, o cérebro envia um sinal para a glândula pituitária, a qual libera um hormônio que flui através do sangue para a glândula suprarrenal, liberando cortisol. Os efeitos são quase instantâneos. O cortisol faz com que a pressão sanguínea suba e o coração bata mais rápido. Esses efeitos são benéficos se você precisar entrar em ação imediatamente, mas se a glândula adrenal continuar a liberar cortisol por causa do estresse crônico, seus efeitos começarão a danificar o corpo. Os níveis cronicamente altos de cortisol causam úlceras estomacais, hipertensão e diabetes.[14]

Alguns estudos descobriram que os cães diminuem os níveis de cortisol, enquanto outros estudos não chegaram a essa mesma conclusão. Há relativamente pouca pesquisa nessa área, e grande parte da variação nos resultados provavelmente se deve à variedade de condições nas quais as interações entre cães e humanos foram estudadas. Nem todo mundo gosta de cachorros, e como Lyra provou na festa do laboratório, os cães podem elevar os níveis de cortisol nas pessoas que têm medo deles.

Embora ainda não haja muitas evidências biológicas provando que os cães trazem benefícios para a saúde dos seres humanos, algumas empresas reconhecem que seus funcionários ficam mais felizes e mais produtivos quando estão com seus cães. O Google, por exemplo, afirma: "[Nosso] afeto por nossos amigos caninos é um traço marcante de nossa cultura corporativa. Nós gostamos de gatos, mas somos uma empresa de cães, então, como regra geral, achamos que os gatos que visitam nossos escritórios ficariam bastante estressados". A Amazon tem uma política semelhante, simplesmente exigindo que os funcionários registrem o cão e sejam responsáveis pela boa cidadania canina (latir e fazer xixi estão proibidos). Outras grandes empresas que adotaram políticas amigáveis para cachorros incluem a sorveteria Ben & Jerry's, o Clif Bar, a sede da Humane Society, a sede da Build-A-Bear Workshop e o fabricante de softwares Autodesk. E, claro, muitas pequenas empresas no país todo.[15]

Se ter cães no trabalho deixa os humanos menos estressados, será que os cães também se sentem mais felizes? Essa questão está cravejada no recanto mais profundo das emoções animais e chega ao cerne da razão pela qual estávamos fazendo o Dog Project.

De maneira geral, os cientistas ignoraram a questão de saber se os animais têm emoções, o que é estranho porque a maioria dos donos de animais de estimação está certa de que eles têm. A ciência, no entanto, lida com coisas que você pode medir, e, por definição, as emoções são internas. A ciência tem conseguido medir apenas comportamentos que são o *resultado* de uma emoção. Com humanos, isso não é um problema. Sempre podemos perguntar a uma pessoa como ela está se sentindo e deduzir qual emoção está associada a um comportamento. A relação entre estados subjetivos e comportamentos objetivos é um passo importante, pois diferentes emoções podem resultar em comportamentos e expressões semelhantes. Por exemplo, se você vir alguém chorando, poderá assumir que ele está triste. Aquelas lágrimas, no entanto, podem ser de alegria. A única maneira de saber é perguntando.

Essa incapacidade de determinar exatamente as emoções a partir do comportamento é a razão pela qual os cientistas geralmente evitam a questão das emoções animais. Por exemplo, um cachorro não pode dizer por que ele mastiga seu chinelo. Mas os cientistas nem sempre foram tão relutantes em se aventurar nisso. Charles Darwin dedicou um livro inteiro ao tema. Em *A Expressão das Emoções no Homem e nos Animais*, Darwin descreveu como emoções como alegria e medo manifestam-se de maneira semelhante em animais e humanos.

Embora tenha sido seu terceiro livro, após a publicação de suas famosas obras sobre evolução, é o que ressoa com mais força hoje em dia. A atemporalidade da obra vem da grande utilização dos cães para ilustrar seus argumentos. O livro é ricamente ilustrado com fotografias e gravuras, e o leitor moderno pode se identificar com os cães de Darwin.

Como humanos e animais evoluíram de um ancestral comum, Darwin deduziu que também poderíamos compartilhar funções emocionais básicas. Se fosse esse o caso, as emoções dos animais ajudariam a revelar as origens das emoções humanas. Ao contrário de outros cientistas de sua época, contentes em descrever apenas os fenômenos naturais, Darwin queria entender por que as emoções se manifestavam da maneira como faziam. Por que, por exemplo, a felicidade provoca um sorriso, com a boca virando-se para cima, em oposição a uma boca virada para baixo? Darwin formulou três princípios de emoções que se aplicavam ao homem e aos animais. Primeiro, ele disse que as emoções têm origem no cérebro. Essa foi uma intuição impressionante e correta, se considerarmos que em 1872 não se sabia muito sobre os mecanismos do cérebro. Em segundo lugar, as expressões das emoções se baseiam em movimentos naturais. Por exemplo, os sorrisos são curvados para cima porque o riso provoca o fechamento dos olhos, e a contração dos músculos ao redor dos olhos também eleva os cantos da boca. Em terceiro lugar, Darwin acreditava que as emoções se manifestavam como ações contrárias de hábitos opostos. Darwin escolheu um cachorro para ilustrar esse princípio, que ele chamou de *antítese*.

Quando um cão se aproxima de um estranho que lhe parece hostil, o cão "anda ereto e muito rigidamente; sua cabeça fica ligeiramente levantada, a cauda é mantida ereta e bastante rígida; os pelos se arrepiam... as orelhas pontudas são direcionadas para a frente e o olhar se mantém fixo". Essas ações são defensivas e podem representar o anúncio de um ataque. O princípio da antítese afirma que a emoção oposta – a alegria – se manifesta com movimentos opostos. "Em vez de andar ereto, o corpo afunda ou até se agacha...; sua cauda, em vez de ser mantida dura e ereta, é abaixada e abanada de um lado para o outro." As descrições são tão úteis hoje como eram há 150 anos.

O trabalho de Darwin sobre as emoções foi esquecido por mais de um século.[16] Embora pesquisas sérias nessa área estejam começando a atrair cientistas novamente, a grande maioria ainda se afasta da complicada questão das emoções animais. Um ponto importante na relutância dos cientistas é que o estudo das emoções animais abre uma questão ética desconfortável. Se os animais têm emoções como os humanos, é certo matá-los e comê-los?

Existem algumas exceções. No campo da neurociência, duas pessoas se destacam. Kent Berridge, um psicobiologista da Universidade de Michigan, estudou extensivamente a ligação entre sistemas de recompensa no cérebro e a expressão de emoções em ratos. E Jaak Panksepp, neurocientista da Universidade Estadual de Washington e da Universidade Bowling Green, em Ohio, tem sido o mais forte defensor do mapeamento de emoções animais nos sistemas cerebrais correspondentes, comuns a todos os mamíferos.

Reiterando o que Darwin disse, Panksepp argumentou que somente quando entendermos os sistemas emocionais de nossos semelhantes começaremos a entender as origens dos sentimentos humanos. Esse é um argumento convincente. Quando observamos o cérebro dos animais, fica evidente que existem muitas estruturas em comum. As semelhanças têm sido tradicionalmente chamadas de *primitivas*, refletindo a crença dos cientistas de que elas devem ter uma origem evolutiva comum. Nos anos 60, o neurocientista Paul MacLean usou a analogia evolutiva para dividir o cérebro em três partes: o cérebro reptiliano (os gânglios basais), o cérebro paleomamífero (o sistema límbico) e o cérebro neomamífero (o neocórtex). Embora essas divisões sejam excessivamente simplistas, é claro que apenas o neocórtex é substancialmente diferente em humanos e outros mamíferos. As outras duas divisões – os gânglios basais e o sistema límbico – são basicamente as mesmas para ratos e humanos. É nesses sistemas que Berridge e Panksepp acreditam que as emoções se originam.[17]

A primeira dificuldade em estudar as emoções animais está em descrever o que é uma emoção. Os humanos têm uma linguagem rica para a emoção, mas mesmo que você tome algo tão básico e universal quanto o amor, logo percebe as vastas *nuances* que essa palavra contém. Existem tantos tipos diferentes de amor que a própria palavra é inadequada. Assumindo, no momento, que nossos cães nos amam, que tipo de amor seria esse?

Para prosseguir cientificamente, devemos deixar de lado essas sutilezas. Ajuda a quebrar a emoção em componentes fundamentais: valência e excitação. A valência é simplesmente bondade ou maldade, enquanto a excitação descreve o nível de excitação, variando da calma ao máximo de excitação. Muitas emoções humanas podem ser representadas em um gráfico como uma função da combinação de valência e excitação. Como o gráfico forma um círculo, ele é chamado de *modelo circunflexo* das emoções. Emoções positivas são representadas à direita, enquanto as negativas estão à esquerda. No sentido vertical, as emoções de alta excitação estão no topo, enquanto as de baixa excitação estão no fundo.

Muitos psicólogos argumentam que o modelo de dois fatores é simplista demais. No entanto, fornece um excelente ponto de partida para entender quais partes do cérebro dão origem às diferentes emoções. Como resultado, a parte reptiliana do cérebro, que agora chamamos de gânglio basal, está intimamente associada à valência positiva, enquanto o sistema límbico está associado à excitação. Ao examinar a relação de atividade nesses diferentes sistemas cerebrais com as emoções vivenciadas pelos sujeitos humanos, podemos construir um mapa emocional do cérebro.

Como os cães têm gânglios basais e sistemas límbicos que são muito similares aos nossos, tal mapa poderia ser aplicado ao cérebro de cães para ajudar a determinar o que um cão está sentindo.

Na porção superior esquerda do gráfico estão as emoções com alta excitação e valência negativa. Geralmente, a manifestação comportamental dessas emoções é evitar ou recuar de qualquer coisa que as tenha causado. No entanto, a similaridade de emoções como medo, raiva e frustração no modelo circunflexo torna esse quadrante difícil de mapear no cérebro. Apesar de terem níveis semelhantes de valência e excitação, essas emoções parecem bastante diferentes umas das outras. Embora se saiba muito sobre o sistema do medo do cérebro, quase nada se sabe sobre a raiva ou frustração.

O quadrante superior esquerdo continuaria a ser território inexplorado no Dog Project, em virtude dos problemas éticos de despertar esse tipo de emoções em nossos cães.

Em contraste, o quadrante superior direito do modelo circunflexo é bem compreendido e parecia um excelente lugar para começar a mapear o cérebro do cão. Aqui estão as emoções que são mais agradáveis: muito boas e muito excitantes. Essas emoções positivas também estão associadas a um comportamento específico visto em todos os animais. Se algo é bom e excitante, todo animal – cão, rato, humano – irá se aproximar do que causa esse sentimento. Panksepp chama isso de o sistema de busca.[18] No cérebro, sabemos que o comportamento de aproximação, assim como as emoções positivas correspondentes, está associado à atividade em uma pequena parte dos gânglios basais, denominada *núcleo accumbens*. Nos humanos, quando observamos a ativação nessa região, podemos deduzir que a pessoa está experimentando uma emoção positiva e, muito provavelmente, quer uma aproximação com o que está provocando essa emoção.

Embora eu não pudesse afirmar com certeza, quando Callie me via com a sacola de cachorro-quente, seu *núcleo accumbens* provavelmente estava se acendendo como uma árvore de Natal. Abanar o rabo e correr em minha direção era um comportamento clássico. Isso me levou a supor que ela estava experimentando alegria e excitação. Mas somente com uma ressonância magnética funcional saberíamos o que ela realmente sentia.

13

A aliança de casamento perdida

Se não encontrássemos solução para o problema do movimento da cabeça, o Dog Project iria parar.

Nós tínhamos duas opções: treinar os cães para manter a cabeça quieta ou criar um descanso melhor para o queixo.

Mark estava confiante de que poderíamos treinar os cães. Considerando que precisávamos que os cães movessem menos de dois milímetros em cada direção, isso parecia ser um imenso obstáculo. Enquanto trabalhava com Callie, nem sequer conseguia identificar movimentos tão pequenos. Ela poderia facilmente mover alguns milímetros enquanto eu olhava para o lado, e eu nem perceberia. A alternativa, um descanso de queixo mais restritivo, também não agradava. Eu não queria prender a cabeça dos cães em um plástico como Andrew e eu vimos em Yerkes.

Estávamos em um impasse.

A movimentação durante uma varredura provoca fantasmas nas imagens, mas o movimento entre varreduras causa um problema diferente. No início de uma série de varreduras, temos que definir os limites do escaneamento, o que chamamos de campo de visão (CV). Como Callie demonstrou durante o ensaio geral, ela nem sempre se posicionava da mesma forma na bobina de cabeça. Por causa da inconsistência da posição de sua cabeça, às vezes ela estava no CV, mas, na maioria das vezes, não estava. Todas, exceto uma das imagens, estavam vazias.

Havia alguns truques que poderíamos usar com os *scans* funcionais que ajudariam com os problemas de movimento. Uma solução fácil para as imagens fantasmas é reduzir o tempo necessário para adquirir uma imagem do cérebro. Ao encurtar o tempo da varredura, é menos provável que o paciente se mova durante esse período. Mas a única maneira de encurtar a varredura é fazer uma quantidade menor de fatias do cérebro. Cada fatia leva cerca de 60 milissegundos. Em humanos, geralmente são necessárias trinta fatias para cobrir todo o cérebro, durante um total de dois segundos. Felizmente, os cães têm cérebros menores que os humanos, então não precisaríamos de tantas fatias. Mas se fizermos menos fatias, o campo de visão encolherá e o movimento entre as varreduras se tornará um problema. Com um campo de visão menor, podemos perder o cérebro por completo se o cão não colocar a cabeça no local correto.

Precisávamos de uma solução para o movimento, tanto na varredura quanto entre uma varredura e outra.

O problema era o descanso de queixo. A barra de espuma limitou a posição da cabeça no sentido vertical, mas deixou os cães livres nas direções direita-esquerda e para a frente e para trás. Precisávamos de algo que guiasse os cães para colocar suas cabeças exatamente na mesma posição toda vez que entrassem na bobina, mantendo-os lá durante a varredura.

Em Atlanta, estávamos em uma semana atipicamente quente para o mês de janeiro. Era uma boa oportunidade para sair ao ar livre, e pensei que uma mudança de cenário poderia trazer novas ideias sobre o problema do movimento. Então, Kat e eu colocamos as garotas e os cachorros na *minivan* e seguimos rumo ao rio para fazer uma caminhada.

O rio Chattahoochee nasce na ponta nordeste da Geórgia, no sopé das montanhas Blue Ridge. De lá, flui para o sudoeste em direção a Atlanta, aumentando o volume ao longo do caminho. Mais adiante, o "Hooch" segue fluindo até o Golfo do México. Grande parte da área ao redor do Chattahoochee é uma floresta protegida, e tivemos a sorte de viver a apenas uma milha do rio. Era um ótimo lugar para caminhar, praticar ciclismo de montanha ou simplesmente relaxar nas margens e observar a vida selvagem.

Nosso ponto favorito era o Sope Creek – um riacho lépido que deságua no rio sobre uma série de pedras de granito. Na década anterior à Guerra Civil, uma balsa transportava pessoas e madeira pelo Chattahoochee, onde o riacho encontrava o rio. Ao lado do riacho, as ruínas de uma fábrica de papel haviam sido tomadas pelo *kudzu*, uma versão sulina mais agressiva da hera inglesa. Esticamos nossas toalhas sobre as ruínas enquanto Helen e Maddy saltavam de pedra em pedra pelo riacho. Tinha chovido alguns dias antes, então o fluxo estava mais forte do que o normal.

Apesar de seus genes *golden retriever*, Lyra entrava na água apenas até que tocasse sua barriga. Como ela não estava interessada em nadar, soltei-a da coleira. Ela perambulava, farejando pedras e plantas e procurando por restos de comida que outras pessoas haviam abandonado.

Eu olhei para Callie. Seu instinto de caça estava em alerta vermelho. Ela sentou-se rigidamente no final da coleira, a cabeça como um periscópio, girando em movimentos rápidos em direção a cada som e movimento da floresta. Ela olhou para mim e choramingou. Não precisava de uma ressonância magnética para saber o que ela queria. Ela queria ficar sem a coleira, como Lyra.

Imaginando que ela ficaria em volta da área de piquenique que Kat estava montando, eu me abaixei para soltá-la. O mundo parecia girar. Quando eu puxei o trinco, Kat gritou em câmera lenta "Nãooooo!".

Com a abertura do trinco, tudo ficou em alta velocidade.

Com esse clique revelador, Callie soube que estava livre.

Ela não olhou para trás. Como um guepardo, Callie arqueou as costas e liberou toda a energia reprimida em uma intensa corrida. Até aquele momento, eu não fazia ideia de que ela pudesse nadar. Ela mais parecia uma pedra de seis quilos pulando pelo riacho. Em três saltos antes que alguém pudesse reagir, ela saltou pela água e desapareceu na mata do outro lado.

"Pai!", Helen gritou. "Callie está fugindo!"

Eu pulei no riacho. A correnteza era forte, por isso subi riacho acima, agarrando-me aos pedregulhos em busca de apoio. Devo ter levado pelo menos um minuto para atravessar, e mentalmente eu imaginava a distância que Callie tomava a cada segundo.

O outro lado do riacho estava cheio de erva *kudzu* e hera venenosa, mas uma trilha estreita seguia rio abaixo em direção ao rio Chattahoochee. Se Callie avançasse tão longe, sua parada seguinte seria no Golfo do México. Eu não podia suportar a ideia de perder outro cachorro tão cedo. Sem falar que o único cão no mundo que se sentara voluntariamente para uma ressonância magnética, mesmo que apenas em um ensaio, tinha acabado de escapar por causa da minha própria estupidez.

Kat estava na margem logo atrás de mim e nós dois descemos a trilha, gritando "Callie, quer um petisco?".

Eu corria à frente de Kat. A apenas 45 metros de distância, eu nem sequer conseguia ouvi-la atrás de mim; o som da água corrente misturava-se ao som das árvores e parecia vir de todos os lados. Não havia como Callie nos ouvir. Uma sensação de pânico começou a tomar o meu peito. Eu não podia voltar para Helen e Maddy sem Callie.

A trilha terminou na beira de um córrego lateral que desaguava no riacho Sope. Sem nenhum outro lugar para ir, eu escorreguei por um barranco e voltei para o riacho. Saltando de pedra em pedra, fiz meu caminho lentamente rio abaixo em direção ao Hooch. Kat estava pelo menos a cem metros de distância. Continuei chamando Callie, mas mesmo que ela estivesse por perto, eu duvidava que ela pudesse me ouvir.

Um casal estava tomando banho de sol em uma pedra no meio do riacho. "Vocês viram um cachorrinho preto?", perguntei.

Eles balançaram a cabeça.

A busca já durava dez minutos. Callie estava fora do nosso campo de visão. Tentei ouvir o tilintar de suas identificações de cachorro, mas tudo que podia ouvir era a água e as gargalhadas de um grupo de adolescentes um pouco mais abaixo no riacho.

Seguir adiante ou voltar? Callie estava em território desconhecido. Não havia como saber o que ela faria. Dado seu fascínio por esquilos e outros roedores, ela poderia ter ido a qualquer lugar na floresta.

A risada dos adolescentes ficou ainda mais alta. Tolamente, eu me ressenti disso. Eu tinha acabado de perder outro cachorro, e fora tudo culpa minha. Qual era o motivo das risadas?

Então, vi por que os adolescentes estavam rindo. Eles apontavam para algo que se movia em alta velocidade pelo riacho.

Era Callie. Ela estava pulando e nadando, caçando um bando de gansos jovens.

"Callie!", eu gritei. "Vem cá, menina!" Ela não me ouviu.

Os gansos não eram muito coordenados e não conseguiam voar muito bem. O bando todo se movia hesitante, de um lado do riacho para o outro. E então os gansos recuaram. Eles voaram pouco acima da água. Um segundo depois, Callie latiu alto, fora do alcance. Com a atenção voltada para o bando de gansos, ela nem me notou. "Callie!"

A danadinha estava indo na direção de Kat.

Kat deu um salto para agarrar Callie, mas não pôde pegá-la a tempo, e espalhou-se em uma pedra, de mãos vazias.

Eu comecei a andar rio acima novamente. Teria sido mais rápido se eu pudesse chegar à margem e percorrer a trilha, mas arriscaria perder Callie na água. Eu podia vê-la a uns cem metros de distância, ainda em busca dos gansos. Kat avançava pelas corredeiras, mas também não estava fazendo muito progresso.

"Ela está voltando!", Kat gritou.

Por razões que só os gansos sabem, eles decidiram fazer outra mudança de curso em 180 graus. Quatro gansos fofos estavam batendo as asas diretamente na minha direção. Essa seria minha última chance.

Permaneci imóvel no centro da água, para não assustar os gansos e causar outra mudança de curso. Eles passaram zunindo em um coro de insatisfação. O cachorro estava alguns segundos atrás deles, ignorando tudo, menos a perseguição.

Quando ela estava a cerca de dez metros, chamei-a com minha voz feliz: "Callie! Boa menina!".

Foi o suficiente para desviar momentaneamente sua atenção dos pássaros. Ela desviou o olhar para mim. Eu corri e agarrei sua coleira com um dedo.

Puxando-a para um abraço, me deliciei com o cheiro de cachorro molhado. "Callie, sua cadela maluca. Nós quase te perdemos!"

Ela soltou um longo suspiro enquanto observava sua presa desaparecer rio abaixo. Eu a carreguei de volta para a margem e levei-a para onde as garotas estavam.

Callie depois de se atirar no Rio Hooch (foto de Gregory Berns).

Helen imediatamente colocou o rosto no pelo lambido de Callie.

"Pai!", ela exclamou. "Nunca mais faça isso!" Kat parou, segurando a mão dela.

"O que aconteceu?", perguntei. Ela estendeu a mão esquerda. Seu dedo anular foi dobrado em um ângulo estranho. Ela havia deslocado o dedo tentando pegar Callie. Estava começando a inchar.

"Eu tenho que tirar minha aliança de casamento", ela disse, "ou teremos de cortá-la." Eu não sabia disso na época, mas levaria um ano para que o dedo voltasse ao tamanho normal e ela pudesse usar a aliança novamente. Eu estava aliviado por ter Callie de volta. O episódio me fez perceber que, apesar de todos os nossos treinamentos de alta tecnologia para a ressonância magnética, eu ainda não fazia ideia do que ela estava pensando.

No momento em que chegamos em casa, Callie já havia esquecido sua viagem rio abaixo, e as crianças estavam exercitando sua criatividade com a pilha de pranchas de *bodyboard* no porão. A praia mais próxima ficava a 160 quilômetros de distância, então outra coisa precisava substituir a água. Não demorou muito para descobrirem que deslizar pelos degraus acarpetados era uma boa ideia.

Helen e Maddy colocaram travesseiros no final dos degraus. Em um movimento rápido, elas apoiaram uma prancha no topo da escada e atiraram-se no fosso de travesseiros. Claro, isso era muito empolgante para Callie e Lyra. Callie subia e descia as escadas tentando pegar as crianças enquanto elas deslizavam. Enquanto Callie perseguiu as meninas, ela fez um som que soava como uma pessoa tentando não rir. Lyra ficou no final da escada, latindo sem parar. Um fio de baba se estendia até o chão.

Quando as garotas se cansaram de surfar na escada, usaram as pranchas de *bodyboard* como escudos enquanto brincavam de luta no porão. Quando se cansaram disso, elas começaram apenas a bater uma na outra.

"Paaaai!", alguém gritou. "Ela quebrou uma das suas pranchas de *bodyboard*!" Eu me aventurei no meio do duelo. Uma das pranchas havia sido partida em dois pedaços. Callie estava no chão em posição de esfinge, balançando o rabo, e olhou para mim com uma expressão de "não-fui-eu" no rosto. Lyra, que estava mastigando uma das partes quebradas, conseguiu retirar um pedaço da prancha e estava prestes a engoli-lo quando alcancei sua boca e consegui retirá-lo. Peguei a prancha e olhei para o formato em lua crescente que ela havia feito. Era do tamanho do queixo de Callie.

Uma luz acendeu em minha cabeça.

Peguei uma faca na garagem e cortei a tábua quebrada em tiras. Com cuidado, comecei a esculpir um semicírculo na borda de cada peça. Depois de cada passagem, eu verificava o ajuste contra o queixo de Callie. A primeira peça tinha um pequeno recorte para o final de seu focinho. A próxima peça teve um recorte maior e a próxima maior ainda. Empilhados um contra o outro, os recortes começavam a formar um suporte em três dimensões. A quarta tira seria a maior. Um recorte profundo permitiu que a espuma se estendesse até as orelhas de Callie e se encaixasse na parte de trás de sua mandíbula. A estrutura forneceu um suporte seguro tanto para cima quanto para baixo e, principalmente, para a frente e para trás.

Com o sanduíche de quatro pedaços unidos, verifiquei o ajuste em Callie. Ela havia se retirado para o sofá. Suavemente, levantei sua cabeça e coloquei o sanduíche de espuma sob o queixo. Ela relaxou e olhou para mim com indiferença.

Eu estava em êxtase. Tirei algumas fotos para enviar para Andrew e Mark. O novo descanso do queixo resolveria nossos problemas de movimento. Era firme, então, apoiaria o peso da cabeça de Callie e impediria o movimento para cima e para baixo. E o recorte também forneceria um *feedback* positivo sobre onde ela deveria colocar a cabeça. Seu queixo caberia em apenas um sentido, e o recorte garantia que, enquanto Callie estivesse com a cabeça ali, a posição seria a mesma, da esquerda para a direita e de frente para trás.

Callie testando o descanso de queixo feito da prancha (foto de Gregory Berns).

No dia seguinte, recortei o bloco de espuma e colei-o em um pedaço de compensado que abrangia o diâmetro da bobina da cabeça. A madeira compensada foi cortada no comprimento exato, de modo que o descanso de queixo colocou a cabeça de Callie no centro da bobina, enquanto permitia espaço para que as patas ficassem para a frente.

Com a engenhoca no chão, disse para Callie: "Bobina!". Ela entrou e imediatamente colocou a cabeça no descanso.

"Excelente!", exclamei e dei a ela um pedaço de cachorro-quente. Ela engoliu alegremente e colocou a cabeça de volta no lugar. Ela esperou por mais.

Em seguida, tentamos com os protetores de ouvido. Callie ainda não gostava deles, mas com cachorros-quentes o suficiente, eu a persuadi para dentro da bobina enquanto usava os protetores. Bati no novo descanso do queixo, e ela obedientemente colocou a cabeça no suporte. Os protetores escorregaram um pouco para trás, mas consegui empurrá-los para a frente novamente sobre a cabeça dela. Os olhos de Callie se dilataram enquanto ela esperava pelos petiscos.

"Você é uma boa menina!"

Callie parecia tão confortável no novo descanso de queixo que comecei a prolongar o tempo que ela precisava ficar imóvel antes de lhe dar uma recompensa. Depois de uma dúzia de repetições, ela estava ficando absolutamente imóvel por até dez segundos de cada vez. Isso era mais que suficiente. Seríamos capazes de fazer pelo menos cinco varreduras completas de seu cérebro durante aquele período.

O novo *design* do descanso de queixo parecia muito promissor. Eu já tinha reservado a ressonância magnética para o Dia dos Cães, que agora estava a menos de duas semanas. O aparelho foi reservado por quatro horas para nos dar bastante tempo para deixar os cães se sentirem confortáveis no *scanner*, mas, por quinhentos dólares a hora, o experimento sairia caro. É claro que não saberíamos se seria bem-sucedido até que realmente fizéssemos a varredura. O novo descanso de queixo foi o melhor que tivemos, então fiz um para McKenzie também.

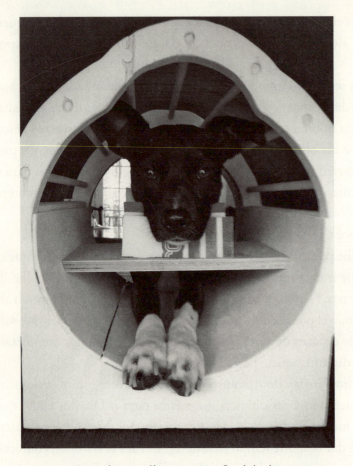

A peça completa: Callie na versão final do descanso
de queixo (foto de Gregory Berns).

Ambos os cães progrediram rapidamente com o novo descanso de queixo. McKenzie, claro, já era especialista em ficar parada. O novo descanso também tornou fácil para os cães posicionarem suas cabeças de forma consistente no mesmo local. Havia apenas um último detalhe para resolver antes do dia da varredura.

Qual, exatamente, era a questão científica que esperávamos responder escaneando cérebros de cães?

14

Grandes perguntas

Com o novo descanso de queixo, Callie e McKenzie progrediam no treinamento. Eu estava aumentando gradualmente o ruído do *scanner* para noventa decibéis, e desde que Callie estivesse usando os protetores de ouvido, ela não parecia se importar. Faltavam duas semanas para o dia do exame. Andrew circulou a data no calendário do laboratório e escreveu "Dia dos Cães", com letras vermelhas e em negrito.

Nenhum de nós esperava realizar um experimento científico completo na primeira tentativa, então, tentamos não gerar muita expectativa. O primeiro e mais importante objetivo da sessão de varredura seria a obtenção de uma sequência de imagens de RM funcional que não fossem prejudicadas por movimentos. Eu consideraria a sessão um sucesso se obtivéssemos dez imagens seguidas sem que o cão se movesse. Isso significaria ficar parado por um intervalo de vinte segundos no *scanner*. Considerando o progresso dos cães no treinamento, parecia ser totalmente possível.

Se os cães superassem nossas expectativas e milagrosamente ficassem parados por alguns minutos, teríamos a oportunidade de coletar dados suficientes para ir além da simples comprovação da viabilidade do Dog Project. Seria possível responder a uma importante questão científica sobre a função cerebral canina, o que, certamente, era o ponto principal. Eu não esperava poder fazer isso na primeira tentativa, mas é sempre melhor estar preparado.

Convoquei uma reunião da equipe principal do Dog Project – Andrew, Mark e eu –, mas, como todos no laboratório estavam torcendo, ela se transformou em uma reunião improvisada de todo o laboratório.

"Temos duas semanas até o Dia dos Cães", comecei, "e temos que decidir a tarefa experimental que os cães farão."

Como o ruído do *scanner* era muito alto, os cães não conseguiam ouvir os comandos vocais. Enquanto estivéssemos no *scanner*, os sinais com a mão esquerda seriam o principal meio de comunicação. Até agora, havíamos evitado usar sinais porque não sabíamos que tipos de sinais usaríamos e o que os cães deveriam fazer com eles. Era hora de descobrir.

"Não se sabe muito sobre a organização funcional do cérebro dos cães", disse Andrew. "Não sabemos nem sequer quais partes do cérebro do cão são responsáveis por funções básicas como visão e audição." Aquilo que realmente sabíamos era fruto de alguns experimentos desagradáveis com mais de um século. Em 1870, um par de cientistas alemães fez uso da então nova energia elétrica para estimular diretamente os cérebros dos animais. Colocando seus eletrodos em diferentes partes do cérebro, eles descobriram que a eletricidade poderia fazer com que um animal movesse seus membros. Infelizmente, eles usaram cães para esse experimento, até filhotes, uma tendência que continuou até 1970. O resultado dessa pesquisa foi a compreensão de quais partes do cérebro do cão controlam o movimento. Mas, para o Dog Project, não poderíamos estudar as partes do cérebro que controlavam o movimento porque os cães não deveriam se mexer![19]

"Vamos trabalhar com a nossa especialidade", eu disse. "Nosso laboratório passou a última década estudando o sistema de recompensas humanas. Sabemos muito sobre como isso funciona. Não há nenhuma razão para acreditar que o sistema de recompensas do cão seja diferente do humano."

"Experimento de erro de previsão de recompensa?", Andrew perguntou.

Os cérebros de todos os animais parecem funcionar como máquinas de previsão. Afinal de contas, a previsibilidade é essencial para a sobrevivência. Se seu cérebro não antecipasse o que aconteceria em seguida, você não poderia atravessar a rua sem ser atingido por um carro. A maior parte das previsões do cérebro diz respeito a coisas à nossa volta, como carros, e coisas que outras pessoas estão fazendo. O núcleo do caudado (situado dentro dos gânglios basais) e as partes do cérebro que se ligam a ele estão ligados com a previsão de recompensas.

No início dos anos 90, Wolfram Schultz, um neurocientista suíço, mediu a atividade de neurônios no cérebro de macacos enquanto eles eram treinados em uma tarefa simples de condicionamento clássico. Quando uma luz se acendia na gaiola de um macaco, ele recebia um jato de suco de fruta na boca. Assim como os cachorros de Pavlov, os macacos rapidamente começaram a esperar pelo suco quando a luz se acendia. Schultz descobriu que neurônios em partes específicas do cérebro seguiam o mesmo padrão. Inicialmente, os neurônios eram ativados em resposta ao suco, mas, assim que os macacos aprenderam a associação com a luz, os neurônios ativavam-se para a luz, não para o suco. Os neurônios que apresentaram esse padrão estavam localizados no cerne do sistema de recompensa, o núcleo caudado.[20]

Desde a descoberta de Schultz, os neurocientistas descobriram que esses neurônios não sinalizam coisas prazerosas. Em vez disso, eles se ativam quando ocorre algo inesperado que indica que algo bom está *prestes a acontecer*. Se algo é inesperado, então, significa que o cérebro "errou" ao predizer isso. Por essa razão, os cientistas chamam esses eventos de *erros de previsão de recompensa*.

Sabemos onde erros de previsão de recompensa ocorrem nos cérebros de macacos e humanos. Com os cães, não deveria ser diferente. E como o caudado é uma estrutura bem definida, fazia sentido que poderíamos identificá-lo no cérebro dos cães – supondo, é claro, que eles ficassem imóveis durante a RM.

"Podemos treinar os cães com um sinal de mão indicando que eles vão receber um cachorro-quente", eu disse.

"Se os cães aprenderem a associação entre o sinal da mão e a recompensa", concordou Andrew, "vamos poder ver a atividade do núcleo caudado com o sinal da mão."

"Assim como os macacos de Schultz", concluí.

Lisa opinou apontando uma falha nesse raciocínio.

"Como poderá saber que os cães aprenderam o sinal da mão?", ela perguntou. "Afinal de contas, eles não estão fazendo nada."

Ela tinha razão. Toda a teoria da aprendizagem behaviorista dependia da manifestação de uma resposta, como babar, ou de um comportamento para indicar que o animal realmente aprendeu alguma coisa. Nós teríamos apenas o cérebro.

"Vamos ter que confiar no núcleo caudado dos cães", eu disse. "Uma atividade ali seria prova de que eles aprenderam o sinal. Também poderíamos procurar outros sinais, como as pupilas se dilatando em expectativa."

Havia também outro problema. Uma varredura de ressonância magnética mede a atividade cerebral indiretamente. O que de fato é medido são as mudanças no conteúdo de oxigênio em minúsculos vasos sanguíneos no cérebro. Quando os neurônios são ativados, os vasos sanguíneos adjacentes se expandem um pouco permitindo a entrada de mais sangue fresco para os neurônios reabastecerem seu armazenamento de energia. A varredura capta essas mudanças no fluxo sanguíneo, e, a partir disso, deduzimos quais neurônios estavam ativos. Há um porém. O cérebro está sempre ligado. A história de que usamos apenas uma pequena porcentagem de nossos cérebros é um mito. A verdade é que usamos ele todo – só não tudo de uma só vez. Como o cérebro está sempre ligado e o sangue está sempre fluindo, a RM funcional pode medir apenas *mudanças* na atividade. Ao projetar experimentos de RM funcional, você sempre precisa de uma condição prévia para comparação.

Callie estaria no *scanner*, me observando e tentando manter a cabeça parada. Tanta coisa poderia estar acontecendo no seu cérebro que poderia ser impossível interpretar os registros da RM funcional. Mesmo se treinássemos os cães com um sinal de mão, ainda precisaríamos de algo para comparar suas respostas cerebrais. Idealmente, a condição de comparação deveria ser muito similar à condição que desejamos analisar. Você deseja manter tudo do mesmo jeito em ambas as condições, exceto pela única coisa que está sofrendo variação no experimento.

Para medir a resposta a um sinal de mão, precisávamos de outro sinal de mão como comparativo. Dessa forma, tudo deveria ser igual – ficar parado, observando o treinador e até mesmo os movimentos do treinador. Haveria variação no *significado* dos sinais.

"Que tal outro sinal de mão", sugeri, "que signifique outra coisa?"

"Como o quê?", Andrew perguntou.

"Um tipo diferente de comida", eu disse. "Algo que os cães não gostam tanto quanto cachorro-quente."

"Tipo o quê?", Lisa perguntou. "O Sheriff gosta de tudo."

Era uma questão delicada, não queríamos que os cães comessem algo desagradável. Precisávamos de algo que eles comessem, mas de que não gostassem tanto quanto os cachorros-quentes. Cães são muito carnívoros. Parecia óbvio que não valorizariam tanto um vegetal quanto um pedaço de carne.

"O que acham de ervilhas?"

Todos concordaram enquanto imaginavam como funcionaria. Levantei minha mão esquerda em um gesto de "pare".

"Vamos supor que isso signifique 'cachorro-quente'." Por um momento, pensei em levantar minha mão direita para "ervilha", mas como não sabíamos até que ponto os cães conseguem distinguir direita e esquerda, parecia ser uma má ideia. Em vez disso, eu segurei as duas mãos na frente do meu peito, apontando uma para a outra. "E vamos supor que isso signifique 'ervilha'?"

Mark assentiu.

"Esses sinais devem ser fáceis de distinguir para um cão." O resto da equipe concordou.

Estava decidido. O primeiro experimento canino de RM funcional seria "Ervilhas *versus* Cachorro-quente".

Na semana seguinte, Andrew e eu formalizamos o projeto do experimento, o que de certa forma se assemelha a escrever um roteiro. Cada detalhe precisa ser planejado com antecedência. As paredes do laboratório tornaram-se nosso mural. Era preciso decidir quantas vezes daríamos ervilhas e cachorros-quentes e a ordem de sua apresentação. Cães aprendem sequências muito rapidamente, então, não poderíamos apenas alternar entre ervilhas e cachorros-quentes. Se o fizéssemos, os cães saberiam que assim que pegassem uma ervilha, um cachorro-quente viria em seguida, e não haveria necessidade de prestar atenção aos sinais manuais. Para evitar isso, a ordem precisava ser aleatória.

No entanto, o detalhe mais importante seria o tempo do experimento. Cada repetição teria quatro elementos. Primeiro, o cão colocaria cabeça no descanso de queixo. Por causa do movimento associado, a varredura que estivesse sendo feita apresentaria artefatos. Seria necessário esperar pelo menos dois segundos para começar a varredura seguinte. Uma vez que o cão estivesse acomodado no descanso do queixo e tivesse passado tempo suficiente para que os artefatos desaparecessem, prosseguiríamos para o segundo elemento, o sinal da mão.

Melissa e eu estaríamos fazendo os sinais para nossos cães, e toda a nossa atenção estaria focada em Callie e McKenzie. Decidir aleatoriamente em tempo real qual o próximo sinal de mão seria cansativo, então, Andrew estaria ao nosso lado com uma lista prévia com a ordem dos sinais. Ele levantaria um dedo para os cachorros-quentes e dois dedos para ervilhas. O treinador, de frente para o cão no *scanner*, daria o sinal manual correspondente. O tempo era crucial.

Sabíamos que a resposta da RM funcional não seria instantânea. Os vasos sanguíneos ao redor dos neurônios demoram alguns segundos para se dilatar, atingindo o pico de dilatação após seis segundos e retornando à forma original vinte segundos depois disso. Esse perfil é chamado de *função de resposta hemodinâmica*, ou FRH, e é o terror dos experimentos de ressonância magnética funcional. O atraso na resposta significava que os cães teriam que ficar perfeitamente parados durante o tempo que levava o FRH do pico ao declínio. Esse período de atraso era o terceiro elemento. Idealmente, o cão ficaria parado por vinte segundos. Mas me contentaria com dez segundos, o que seria tempo suficiente para capturar pelo menos o pico do FRH.

Mark, Andrew e eu debatemos se deveríamos apenas fazer o sinal de mão por um segundo e esperar dez segundos antes de dar a recompensa. A alternativa seria segurar o sinal da mão durante todo o período de espera. No final, optamos pela segunda opção. Se mostrássemos brevemente o sinal, não saberíamos se os cães estavam prestando atenção no tipo de sinal da mão ou em sua remoção. Ambos podem ser importantes. Para ter certeza de que eles prestaram atenção no tipo de sinal, pareceu prudente manter as mãos levantadas até que eles recebessem a recompensa, que era o quarto elemento e o fim de cada sequência.

Isso seria fácil nas repetições usando o cachorro-quente. Mão esquerda para o sinal e, em seguida, entregar o cachorro-quente com a mão direita. No entanto, as repetições com as ervilhas exigiam as duas mãos como parte do sinal. Isso significava que a ervilha teria que ficar na palma da mão direita.

Para ter certeza de que sairia tudo bem no dia da varredura, Melissa e eu praticamos todos os elementos repetidas vezes. Os cães podem perceber mudanças sutis em nossa linguagem corporal, mas não havia muito o que fazer a não ser praticar.

Em casa, Callie e eu continuamos a trabalhar com a maquete. Mesmo com o ruído do *scanner* de 95 decibéis, Callie estava tão acostumada a isso que começou a ficar entediada com a rotina. Ela gostava dos cachorros-quentes, mas uma vez dentro da bobina da cabeça, era tudo negócio. Não havia mais cauda abanando. Apenas um olhar que dizia: *Estou aqui esperando minhas recompensas*. No dia anterior à varredura, praticamos por apenas dez minutos. Não fazia sentido cansá-la.

Callie estava pronta. Se sabia o que estava prestes a acontecer, ela não demonstrou.

Eu, por outro lado, mal conseguia me conter. Nós tínhamos feito um grande progresso desde o ensaio geral. O redesenho do descanso de queixo, a modificação dos parâmetros da varredura e a coreografia do experimento foram desenvolvimentos muito positivos. Mas ainda assim havia muita coisa a fazer. No dia seguinte, saberíamos com certeza se o Dog Project funcionaria.

Helen também esperava ansiosamente pelo Dia dos Cães. Ela tentou com afinco melhorar seus hábitos de estudo, fazendo cartões de memória e estudando-os com diligência. Na noite anterior ao dia da varredura, desejei-lhe boa-noite.

"Papai", ela perguntou, "eu vou com você ao trabalho amanhã?"

"Sim", concordei. "Estou muito orgulhoso do quanto você se esforçou. Sei que ciências é uma matéria difícil. Amanhã você verá o quão divertida a ciência pode ser."

Ela sorriu e me deu um abraço.

Naquela noite, não houve descanso para mim. Deitei-me na cama e fiquei acordado. Callie estava aninhada entre Kat e mim. Descansei a mão no pelo liso de Callie e logo senti o efeito calmante de seu peito subindo e descendo lentamente. Newton tinha o mesmo efeito calmante, favorecido por seu ronco suave.

Sem nada para fazer e deixando minha imaginação fluir, Edward Jenner passou pela minha cabeça. Em 1796, Jenner inventou a vacina contra a varíola. Ele havia observado que mulheres que ordenhavam vacas eram imunes à varíola. Jenner suspeitava que as bolhas que as ordenhadoras adquiriam de uma doença semelhante, a varíola bovina, continham uma substância que poderia fornecer imunidade a outras pessoas. Jenner testou sua teoria em James Phipps, o filho de oito anos de seu jardineiro. Depois de inocular James com pus de uma ordenhadora, Jenner o expôs ao verdadeiro vírus da varíola. James não ficou doente. Graças a Jenner, o mundo está livre da varíola.

O que Jenner fez, no entanto, jamais poderia ser feito hoje. Ele assumiu um imenso risco. Se ele estivesse errado, o menino teria contraído varíola e provavelmente teria morrido. Talvez o jardineiro não tivesse outra escolha, mas ainda assim admiro Jenner por ter tido a coragem de testar sua teoria em um membro de sua própria comunidade. Se os pesquisadores biomédicos de hoje precisassem testar suas teorias primeiro em pessoas que eles conhecem, haveria muito menos lixo nos arquivos científicos.

Callie fazia parte da nossa família. E eu estava prestes a dar uma de Jenner com ela. Eu não tinha problemas em ir à ressonância magnética sozinho. Constantemente me oferecia para as experiências do laboratório. Mas Callie não era humana. Havia muita coisa que não sabíamos sobre os cachorros. Mark contara-me histórias sobre cães que tinham encontrado o caminho de casa depois de terem sido perdidos a centenas de quilômetros de distância. Como fizeram isso? Talvez eles fossem como pombos e tivessem algum sensor magnético primitivo em seus cérebros. A ressonância magnética poderia destruir o senso de direção de Callie?

Estávamos prestes a nos aventurar em território desconhecido. As pessoas questionariam o que estávamos fazendo. Alguns poderiam ver isso como tortura aos animais, embora tivéssemos elevado os direitos dos cães aos mesmos de humanos.

Não havia outra maneira. Tinha que ser da família.

15

Dia de cão à tarde

Na manhã seguinte, Helen me ajudou a carregar o carro. Não saberia dizer se ela estava mais animada em ver o experimento ou em faltar na escola. Não importava. Era muito bom tê-la comigo.

Eu preparei uma lista de verificação para ter certeza de que não esqueceríamos nada: protetores de ouvidos, descanso para o queixo, cachorros-quentes, ervilhas, coleiras e guias de náilon sem metal, seguras para a ressonância, e a escada de plástico. Tentamos ser discretos, mas assim que Callie viu o descanso de queixo, começou a pular entusiasmada. Ela nos seguiu até a porta da garagem e passou entre minhas pernas para correr até o carro.

Nós três chegamos ao laboratório pouco antes do meio-dia, e o local já estava lotado. Como o evento poderia nunca mais acontecer, também conseguimos um fotógrafo para registrar tudo. Para nos certificarmos de que estávamos em conformidade com o protocolo do CICUA e para cuidar do bem-estar dos cães, solicitamos a presença de um veterinário. Eu não tinha ideia de quem seria mandado e o que ele pensaria sobre o Dog Project, mas minhas preocupações desapareceram instantaneamente quando Rebeccah Hunter se apresentou. Rebeccah era jovem e animada e, acima de tudo, uma apaixonada por cachorros. Callie correu até ela e pulou para lamber seu rosto. Como qualquer apaixonado por cães sabe, esse é um teste crucial na avaliação do caráter de alguém. Eles recuam em descontentamento ou se inclinam para o beijo do cachorro?

Rebeccah sendo saudada por McKenzie (foto de Bryan Meltz).

Rebeccah não apenas se inclinou, ela se ajoelhou ao nível de Callie e disse: "Oh, que boa menina!". Callie tascou um beijo nos lábios dela.

Eu não sabia ainda, mas o bom relacionamento de Rebeccah com os cães seria crucial nas horas seguintes.

Mark e Melissa logo chegaram com McKenzie, e deixamos os cachorros correrem ao redor do laboratório para queimar um pouco de energia. Eles se aproximaram de cada pessoa, certificando-se de que todos ganhassem uma boa cheirada. A cauda de Callie não parava de abanar. Mesmo quando estava deitada no chão, o rabo começava a bater com força quando alguém se aproximava dela.

15. Dia de cão à tarde

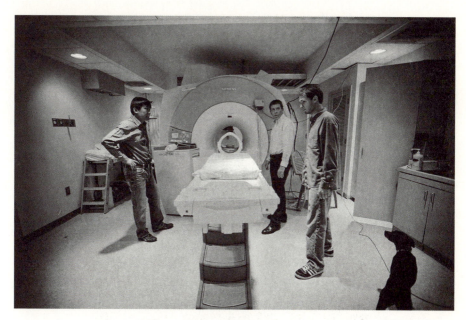

Sinyeob, eu, Andrew e Callie ponderamos a ressonância magnética (foto de Bryan Meltz).

Após dez minutos de brincadeira, os dois cães sossegaram. Queríamos que os cães estivessem o mais calmos possível, para enfrentarem o que estava prestes a acontecer. Estar um pouco cansados os ajudaria a manter-se quietos durante a ressonância magnética.

Trocamos as coleiras dos cães por outras feitas de náilon. Eu substituí os anéis de metal padrão e os grampos nessas coleiras por outros de plástico. Todo mundo verificou novamente se havia metal nos bolsos, como chaves e telefones celulares, e cartões de crédito, que seriam apagados se ficassem perto demais do ímã. Normalmente, faríamos a checagem de metal na sala de controle do *scanner*, mas, para evitar desfilar com os cachorros pelos corredores do hospital, entramos na sala de ressonância magnética diretamente de fora, através de uma porta lateral. Era preciso se certificar de que todos estariam seguros quando a varredura começasse.

No *scanner*, fomos recebidos por Robert Smith, o técnico que executaria o procedimento e que esteve lá no ensaio de Callie, e Sinyeob Ahn, um físico de ressonância magnética da China que ajustaria na hora as configurações do *scanner* para nós. Ambos sorriram quando viram Callie e McKenzie, mas eu não sabia se eles achavam que realmente iria funcionar.

Fechei as portas de isolamento da sala do ímã, criando uma vedação impenetrável por qualquer forma de eletricidade ou ondas de rádio. Com o ambiente seguro e as portas trancadas, deixamos os cães soltos. Callie já estivera lá antes e sabia que poderia encontrar migalhas de comida no chão da sala de controle. Ela deu apenas uma olhada rápida no ímã enquanto saía em busca de algo para comer. McKenzie deu uma bela encarada de *border collie* na ressonância magnética. Apesar dos sons feitos pela bomba criogênica, McKenzie logo percebeu que o ímã não estava vivo e não poderia ser reunido como um bando de ovelhas.

Enquanto Melissa trabalhava com McKenzie para que se acostumasse com o ímã, fiquei com Robert e Sinyeob para planejar os exames do final do dia. Com base no que aprendemos com ensaio de Callie, várias mudanças seriam implementadas no protocolo de escaneamento.

Da sala de controle, pude ver Melissa convencendo McKenzie a entrar no *scanner*. Receosa no início, McKenzie subiu cuidadosamente os degraus e sentou-se na mesa do paciente. Ela parecia estar insegura sobre o que fazer. Melissa deu a volta até a outra extremidade do ímã e, usando alguns cachorros-quentes, atraiu McKenzie para dentro. Assim que Callie viu isso, subiu correndo os degraus e subiu em McKenzie para encontrar sua posição dentro do ímã.

Sinyeob começou a rir. "Olha, dois por um!" McKenzie não achou graça.

Virando-me para Helen, eu disse: "Você pode pegar Callie e mantê-la fora do ímã até que estejamos prontos?". Helen sorriu, feliz por ter um trabalho a fazer.

Como no ensaio geral, Sinyeob programou três tipos de varredura. A primeira seria a imagem do localizador para ver onde estava o cérebro do cachorro. Isso nos permitiria definir o campo de visão para as varreduras subsequentes. Em seguida viriam as varreduras funcionais.

"Quanto tempo você quer escanear?", perguntou Robert.

Para estudos em humanos, normalmente escaneamos em blocos de cerca de dez minutos. Isso é o tempo máximo que uma pessoa pode ficar envolvida em uma tarefa enquanto estiver no aparelho. Geralmente damos uma pausa de alguns minutos e depois repetimos. Eu não esperava que os cachorros ficassem no *scanner* por tanto tempo.

"Vamos tentar cinco minutos", eu disse. Com uma varredura completa no cérebro levando dois segundos, esse tempo nos daria 150 imagens. Nosso objetivo era obter uma sequência consecutiva de dez imagens sem movimento em algum lugar daquele bloco.

Se tivéssemos tempo, e se os cães estivessem prontos para isso, a varredura final seria estrutural. Seria rápido, mas eles precisariam ficar parados por trinta segundos.

Eu me virei para Andrew e perguntei: "Você está pronto?".

"Vamos lá!"

Olhei para Callie e disse: "Ei, Callie! Quer fazer um pouco treinamento?". Ela pulou para lamber meu rosto.

Melissa colocou McKenzie em uma tenda de filhotes que ela havia trazido. Isso a deixou relaxar enquanto trabalhávamos com Callie.

Rebeccah seguiu Callie e eu até a sala do ímã e assumiu posição no final da mesa do paciente, onde ela podia acompanhar de perto Callie, em busca de qualquer sinal de perigo. Deslizei os protetores de ouvido sobre a cabeça de Callie e fiz sinal para ela entrar no ímã. Quando ela deslizou para dentro, dei a volta até o final para ficar de frente para ela. Callie entrou na bobina da cabeça e repousou no descanso do queixo. "Boa menina!", eu disse, dando a ela um cachorro-quente. Ela abanou o rabo, olhando para mim com expectativa. Enquanto isso, Andrew havia assumido uma posição logo à minha esquerda. Olhei para ele. "Vamos lá."

Andrew levantou a mão e apontou para Robert, que estava observando através de uma janela de vidro na sala de controle. O *scanner* acordou. Clique. Clique. Clique. E então, o zumbido de um milhão de abelhas. O *software*, não reconhecendo o ocupante canino, estava começando o procedimento para compensar a distorção do campo magnético causado pela forma canina de Callie.

Os olhos de Callie se estreitaram em fendas. Eu levantei um pedaço de cachorro-quente, mas já era tarde demais. Ela começou a recuar. Ainda mais confuso com a falta de algo dentro dele, o *scanner* continuou zumbindo por alguns segundos até que desistiu e abortou a sequência.

Rebeccah consolou Callie acariciando seu peito. Os protetores de ouvido haviam escorregado para trás e pendiam inutilmente em volta do pescoço de Callie.

Dei-lhe mais alguns pedaços de cachorro-quente e reposicionei os protetores de ouvido para tentar mais uma vez.

Callie entrou e novamente assumiu a posição da esfinge na bobina da cabeça. Assim que o *scanner* começou a trabalhar, ela recuou.

Depois de mais duas tentativas, comecei a me sentir frustrado. Sentei-me na escadinha canina e acariciei a cabeça de Callie. Ela apenas olhou para mim como se dissesse: *Estou tentando*.

Mesmo com o treinamento extra, o barulho era pior do que havíamos previsto. Além disso, os protetores de ouvido estavam escorregando. Talvez se conseguíssemos que os protetores de ouvido fizessem uma vedação melhor e ficassem no lugar, o ruído seria tolerável.

Rebeccah pensou a mesma coisa. Ela vasculhou seu equipamento de veterinária e tirou algumas compressas de gaze e um rolo de fita adesiva – um material pegajoso chamado fita veterinária. Enquanto eu dava a Callie um fluxo constante de cachorro-quente, Rebeccah cuidadosamente colocou uma gaze em cada uma das orelhas de Callie e o protetor de ouvido. Para mantê-lo no lugar, Rebeccah envolveu toda a cabeça com a fita. Surpreendentemente, Callie não pareceu se importar com esse procedimento. Ela parecia ter sofrido um grave ferimento na cabeça, mas os protetores de ouvido estavam seguros.

"Vamos tentar de novo", eu disse. Callie não me ouviu, o que era um bom sinal. Eu apenas fiz sinal para o ímã, e ela entrou.

O ímã fez os estalos e eu me preparei para o enxame de abelhas. Dei a Callie um pedaço de cachorro-quente, e dessa vez ela ficou quieta.

15. Dia de cão à tarde

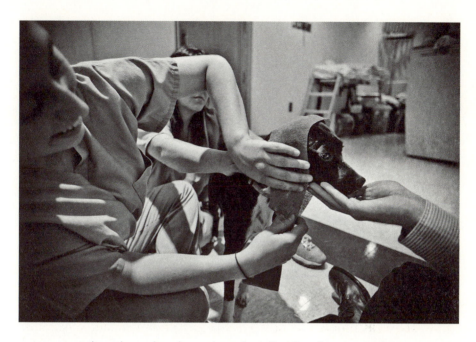

Rebeccah envolvendo a cabeça de Callie (foto de Bryan Meltz).

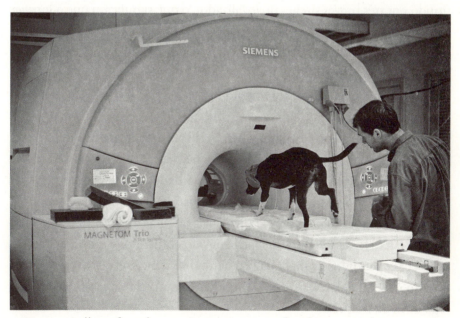

Callie enfaixada e pronta para arrasar (foto de Bryan Meltz).

Primeira imagem do localizador de Callie (foto de Gregory Berns).

Parecia que jamais teria fim. Após trinta segundos, o zumbido foi substituído por três breves sirenes do localizador, o que significava que o *scanner* conseguira balancear o campo magnético e tinha obtido uma imagem. Dei a Callie mais um cachorro-quente e corri para a sala de controle para ver o que havíamos conseguido.

Robert e Sinyeob estavam sorrindo e fazendo sinal com o polegar para cima pela janela.

Com certeza, lá no console do *scanner*, havia uma imagem borrada, mas claramente reconhecível, com o perfil de Callie. Seu cérebro e medula espinhal eram inconfundíveis. Todos olharam maravilhados para o que certamente foi a primeira imagem de ressonância magnética de um cachorro em uma posição natural. Todas as outras imagens semelhantes a esta tinham sido obtidas em cães anestesiados que haviam sido entubados e que tiveram seus pescoços expandidos de maneira não natural. Era incrível ver a transição do cérebro de Callie em sua medula espinhal e como ela descia pelo pescoço logo atrás da traqueia.

Em seguida, foram os exames funcionais. Robert abriu uma janela na tela para definir o campo de visão. Orientamos o campo de visão de modo que a cabeça de Callie fosse como um pedaço de pão; a ressonância magnética cortaria seu cérebro digitalmente, no chamado *plano coronal*. Cada fatia teria 3,5 milímetros de espessura; com 25 fatias, significava que a profundidade da caixa seria de 87,5 milímetros – quase nove centímetros. Não havia muita margem para erro. Se Callie colocasse a cabeça em um local diferente, seu cérebro estaria fora do campo de visão, mesmo que ela se mantivesse perfeitamente parada. Eu esperava que o descanso do queixo fizesse o seu trabalho.

Olhei para o relógio. Eram três horas. Nós já havíamos usado duas horas só para chegar a esse ponto, e ainda não tínhamos feito nada com McKenzie. Fiz uma nota mental para mudar para McKenzie às três e meia.

O nível de energia de Callie diminuía visivelmente. Ela subiu as escadas para o ímã, mas agora não abanava tanto o rabo. Na verdade, isso era uma coisa boa. Quando ela abanava o rabo, o movimento fazia com que a cabeça se movesse ao ritmo da cauda.

Andrew assumiu sua posição na parte traseira do ímã. Ele segurava uma pequena caixa com quatro botões. A caixa de botões estava conectada a um computador na sala de controle. Cada vez que Andrew apertava um botão, o computador registrava o tempo exato após o início da varredura. Um botão representava o início de cada tentativa, quando Callie colocava a cabeça no descanso do queixo. Andrew apertava um segundo botão quando eu fazia o sinal de mão para cachorros-quentes, e apertava um terceiro botão quando eu dava o sinal de ervilhas. Um quarto botão era pressionado quando eu realmente entregava a recompensa. Registrando o tempo de cada um desses eventos, poderíamos compará-los à varredura correspondente.

Callie se instalou e olhava para mim com expectativa. Dei a ela um cachorro-quente e gritei: "Boa menina!". Balancei a cabeça para Andrew, indicando que ela estava pronta.

O *scanner* emitiu alguns cliques e, em seguida, iniciou os sons de britadeira das varreduras funcionais. Essa era a sequência que Callie vinha praticando no último mês, mas era muito mais alta que o localizador. Ela levantou a cabeça do descanso e começou a recuar, mas depois, parou. A meio caminho, ela olhava para mim. Eu levantei um pedaço de cachorro-quente. Callie pensou por um segundo, e então correu para lamber o petisco da minha mão. Satisfeita que nada de ruim iria acontecer, ela se acomodou no descanso do queixo.

Com o canto do olho, pude ver Andrew apertando o primeiro botão. Ele estava levantando um dedo – o sinal para cachorro-quente.

Na minha cabeça, contei dois Mississippis e fiz o gesto do cachorro-quente. Os olhos de Callie se dilataram. Eu tentei contar outros seis Mississippis antes de dar a recompensa a ela. Foi como praticar em casa.

Continuamos assim. No entanto, nem toda repetição foi bem-sucedida. Uma vez, eu bati na mesa do paciente quando tentava dar o petisco a Callie. O barulho a assustou e ela recuou. Surpreendentemente, ela recuou apenas um pouco e voltou quando mostrei a comida.

Depois do que pareceu uma eternidade, o *scanner* parou.

Callie estava me esperando no final da mesa do paciente. Dei-lhe um grande abraço e um punhado de cachorros-quentes antes de fugir para a sala de controle, onde Robert analisava uma série de imagens em sua tela. A maioria estava borrada. De vez em quando, alguma coisa parecida com um cão apareceria na parte inferior da tela, apenas para desaparecer algumas imagens depois. Nada.

"Ela não estava no campo de visão", disse Robert.

Meu coração afundou. Callie se saíra tão bem, mas sua posição durante o localizador foi diferente. Sem saber, programamos o *scanner* para o local errado. O cérebro de Callie não pôde ser visto.

Chegamos longe demais para desistir, e Callie provou que aquilo era possível.

"Vamos mudar para o sentido dorsal", eu disse.

Olhando para a imagem do localizador de Callie, percebi o que estava claro o tempo todo. O cérebro do cão é mais longo de frente para trás do que de cima para baixo. Para melhor corresponder à forma achatada do cérebro, fazia sentido fatiar de cima para baixo, o que é chamado de *orientação dorsal*. A menos que façamos fatias muito grossas ou muitas delas, o campo de visão é como um tijolo retangular, maior no plano das fatias. Ao girar o campo de visão para abarcar melhor a forma achatada da cabeça de Callie, teríamos mais chances de registrar seu cérebro, independentemente de onde ela colocasse a cabeça.

Usando o cursor, Robert girou o campo de visão em noventa graus. Ele agora estava alinhado paralelamente ao cérebro de Callie.

Entre a varredura e as alterações na sala de controle, havíamos gastado mais trinta minutos. Acabei quebrando a promessa de mudar para McKenzie. "Vamos tentar mais uma vez. Então vamos dar uma chance a McKenzie." Callie estava deitada de lado, perto de mim. Ela estava cansada. Me abaixei para acariciá-la. Seu rabo bateu contra o chão, indicando que ainda restava um pouco de energia.

A essa altura, a equipe já havia estabelecido uma rotina. Rebeccah segurou os protetores de ouvido e Andrew assumiu sua posição na parte de trás do *scanner*. Callie, já entediada ou sem energia, entrava no ímã. Ela nem sequer recuou quando a sequência começou.

Ervilhas e cachorros-quentes.

Dessa vez, nos saímos bem nas repetições. Depois de cerca de dez de cada tipo, voltei-me para Andrew.

"Ela está indo muito bem", eu disse. "Vamos ver se a nova orientação funcionou." Ele assentiu e deu o sinal de "corte" para Robert. Callie e eu corremos para a sala de controle. Todos já estavam olhando para a tela.

Cérebros. Nós tínhamos cérebros.

Enquanto Robert repassava a sequência das imagens, você poderia ver claramente as fatias através do cérebro de Callie. Foi possível capturar cerca de sessenta imagens, e mais da metade delas continha uma imagem do cérebro.

McKenzie usando os protetores de ouvido envelopados (foto de Bryan Meltz).

Eu estava exultante. Havíamos superado minha esperança de obter dez boas imagens.

Todos comemoramos e nos parabenizamos.

Lisa se abaixou para abraçar Callie. "Você conseguiu!" Callie lambeu o rosto dela.

Sinyeob apenas balançou a cabeça sem poder acreditar, enquanto Andrew resumia: "Uau".

Enquanto todos se amontoavam ao redor do computador, afundei em uma cadeira, totalmente exausto. Eu não havia percebido o quão intensas as últimas horas haviam sido. Mas agora, a adrenalina que me manteve ativo se foi, e então, desabei. O mesmo para Callie. Ela já havia tomado o caminho para a caminha de filhotes de Melissa havia algum tempo, e estava dormindo.

Mas nós não terminamos. Agora era a vez de McKenzie.

Callie abriu o caminho. Com base no que aprendemos sobre o barulho e os protetores de ouvido, não perderíamos tempo com McKenzie.

Rebeccah fez sua magia com os protetores de ouvido. Enquanto Callie usava os de tamanho pequeno, McKenzie teve que usar os médios. Totalmente embrulhada, McKenzie parecia estar usando um turbante.

Como cada cão tem tamanho e forma diferentes, o *scanner* precisaria novamente passar pela sequência de calibragem e localização com McKenzie. Melissa e Mark a colocaram no *scanner* e deram um sinal de positivo para iniciar o exame.

McKenzie reagiu da mesma maneira que Callie. Assim que o zumbido começou, ela saiu do ímã. Fizemos isso três, quatro vezes, e apesar dos protetores de ouvido, McKenzie não estava conseguindo participar.

"O que acha que devemos fazer?", perguntei a Mark.

"O problema parece ser o início repentino", disse ele. "Os cachorros ficam confortáveis com o ímã quando está quieto, mas a varredura começa sem aviso e isso os assusta."

Eu me virei para Sinyeob: "Podemos começar a varredura antes que o cão esteja lá dentro, e então fazer com que ela entre durante o funcionamento?".

Ele balançou a cabeça. "Não, o *scanner* não funcionará se estiver vazio."

"Talvez pudéssemos mascarar a transição", sugeriu Mark. "Vou fazer barulho antes de a varredura começar, para distrair McKenzie."

Agora, na quinta tentativa, Melissa mais uma vez persuadiu McKenzie a entrar na ressonância. Mark começou a gritar com ela. Então, a calibragem começou. Talvez fosse o caso de Mark continuar, ou talvez ela tivesse se acostumado, mas McKenzie ficou no seu lugar. Pelo menos até a sirene do localizador começar.

Ela estava tão perto.

"Conseguiu completar a calibragem?"

"Sim", disse Sinyeob, "mas ela se moveu antes do localizador."

Eram quase cinco horas, e nosso tempo estava acabando.

"Vamos pular o localizador e ir direto para as varreduras funcionais", eu disse.

"O descanso do queixo deve colocar a cabeça no mesmo local de Callie. Vamos usar a mesma orientação e campo de visão usadas em Callie."

Andrew assumiu sua posição na parte de trás do *scanner* e preparou-se para sinalizar a Melissa com ervilhas e cachorros-quentes. Mark seguiu adiante, fazendo barulhos para distrair McKenzie do início súbito da varredura funcional. Robert apertou o botão de início.

Eu esperava ver o traseiro de McKenzie começando a sair do ímã. Mas ela não saiu. Mark parou de gritar. Imagens começaram a aparecer na tela do *scanner*. No início, um nariz apareceu no campo de visão. E depois, parte de um cérebro. E um pouquinho mais. E então desapareceria, apenas para ressurgir alguns segundos depois.

McKenzie estava ficando no *scanner*. Melissa estava fazendo sinais com as mãos e alimentando-a com ervilhas e cachorros-quentes. Aparentemente, McKenzie estava se saindo ainda melhor que Callie nessa parte da varredura. As imagens que surgem na tela mostraram claramente o cérebro de McKenzie, e elas não estavam se movendo, o que significava que ela estava mantendo a cabeça totalmente imóvel.

O único problema era que a cabeça dela estava no limite do campo de visão. Mesmo que ela não estivesse se movendo, estávamos capturando apenas a metade da frente de seu cérebro. Essa foi uma consequência direta da configuração do campo de visão sem uma imagem do localizador. Demos um tiro cego e erramos por alguns centímetros.

Deixei a sequência funcional operar durante os cinco minutos. Mesmo que não pudéssemos usar os dados dela dessa vez, era um bom treinamento para Melissa e McKenzie. Quando terminou, dei-lhes o relatório.

"A boa notícia é que McKenzie manteve a cabeça parada", eu disse. "A má notícia é que escaneamos apenas metade do cérebro dela."

"McKenzie não está muito cansada", disse Melissa. "Poderíamos tentar novamente."

"Se você pudesse fazê-la colocar a cabeça alguns centímetros à frente", eu disse, "isso ajudaria."

Mark, Melissa, eu, Sinyeob, Robert, Lisa e Kristina, estudando as primeiras imagens funcionais (foto de Bryan Meltz).

Mais uma vez, todos assumiram suas posições e, com McKenzie de volta ao ímã, passamos pelo protocolo novamente, no que parecia a centésima vez naquele dia. Dessa vez, a cabeça dela estava mais perto do centro do campo de visão. Algumas imagens ainda estavam cortadas, mas no geral a varredura corria muito bem.

Entre Callie e McKenzie conseguimos ultrapassar nosso objetivo de adquirir uma sequência de dez imagens funcionais. Mesmo apenas com uma varredura parcial de McKenzie, obtivemos quase cem imagens de ambos os cães – o suficiente para fazer uma análise preliminar da ativação cerebral comparando sinais de mão com ervilhas e cachorros-quentes.

Quando chegamos em casa, Callie correu direto para a cozinha. Mesmo tendo passado a tarde inteira comendo ervilhas e cachorros-quentes, seu apetite não diminuíra nem um pouco. Ela esperou ansiosa ao lado de sua tigela de comida. *Então, onde está meu jantar?*

Lyra detectou os odores estranhos do hospital e cheirou Callie da cabeça à cauda. Satisfeita por ainda ser Callie, Lyra abanou o rabo e soltou alguns latidos de reconhecimento.

Helen se sentou no sofá. "Então", eu disse, "o que você achou?" "Foi muito legal!"

"A ciência nem sempre é como eles ensinam na escola", eu disse. "Você nunca sabe o que pode acontecer." Parei e continuei. "Estou muito contente por ter vindo hoje. Foi divertido ter você lá."

Helen assentiu com a cabeça e lhe dei um abraço.

16

Um novo mundo

Naquela noite Callie se aninhou em seu lugar de costume na cama. Exausta pelo dia da varredura, não demorou a cair em sono profundo, roncando suavemente. Eu ainda estava muito agitado e, pela segunda noite consecutiva, não dormi. Imagens do cérebro de Callie dançaram na minha cabeça. Mas eu não tinha ideia do que havíamos feito de verdade. Os cérebros dos cães seriam o nosso novo mundo, mas não havia um mapa.

Acabamos descobrindo que os cérebros dos cães não se pareciam em nada com os cérebros humanos. Além da diferença de tamanho, muitos dos pontos de referência comumente vistos em cérebros humanos estavam ausentes nos cães ou distorcidos em formas irreconhecíveis. Agora, com as varreduras cerebrais dos cães, Andrew e eu teríamos que lidar com a interpretação de todos esses dados.

Os cérebros de cães e humanos diferem em dois aspectos importantes: estrutura e função. A estrutura do cérebro diz respeito à sua forma. Você não precisa ser um neurocientista para ver que humanos e cães têm cérebros de formas diferentes. A estrutura do cérebro consiste nas diferentes partes do cérebro e na localização das partes umas em relação às outras. Por causa disso, os neurocientistas se referem a algumas partes importantes do cérebro como pontos de referência. Pontos de referência importantes em todos os cérebros incluem o tronco encefálico e a medula espinhal, o cerebelo, os ventrículos (que formam o líquido cefalorraquidiano), o corpo caloso (que conecta os lados esquerdo e direito do cérebro) e algumas estruturas nos gânglios basais – parte do cérebro reptiliano de MacLean.

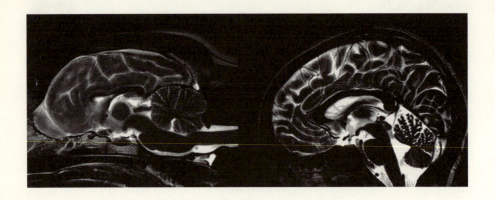

O cérebro do cão (esquerda) e o cérebro humano (direita). Sem escala (imagem do cérebro do cão cedida com a permissão de Thomas Fletcher, da Universidade de Minnesota; cérebro humano por Gregory Berns).[21]

Mas mesmo com esses pontos de referência, a maior parte do cérebro – o córtex cerebral – é radicalmente diferente em cães e humanos. Provavelmente, é isso que nos torna diferentes um do outro.

Imagine comparar um mapa dos Estados Unidos com um mapa da França. O que você pode deduzir sobre esses países ao olhar para o mapa de cada um? Há uma diferença óbvia no tamanho, mas isso não diz muita coisa. Com base no arranjo das estradas, os mapas lhe dariam uma ideia de onde estão os centros de atividade. Muitos caminhos levam a Paris, e você pode concluir corretamente que Paris é um centro importante na França. Você também notaria importantes cidades portuárias como Marselha e Bordeaux e poderia dizer que essas cidades são centros de comércio. Em comparação, não há um centro de atividade óbvio nos Estados Unidos, mas o mapa das estradas forneceria o mesmo tipo de informação. O Corredor Nordeste, de Washington, D.C., para Nova York, imediatamente se destaca, e você estaria correto em assumir que essa região era um centro importante do governo e de atividade econômica. Da mesma forma, cidades costeiras como Boston, Houston, Los Angeles e São Francisco se destacariam como centros de comércio.

E é da mesma forma com os cérebros dos cães e dos humanos. Mesmo que não saibamos a função exata de diferentes partes do cérebro canino, podemos fazer suposições baseadas no que aprendemos sobre outros cérebros. Usando pontos de referência comuns a ambos os cérebros, podemos começar a construir um mapa funcional mais preciso do cérebro canino.

Mas por onde começar?

À primeira vista, os cérebros caninos não se pareciam muito com cérebros humanos, então, não sabíamos quanto poderia ser utilizado da vasta literatura de neurociência humana. Enquanto estava acordado, visualizei as divisões básicas do cérebro humano e tentei imaginar como poderiam aparecer no cérebro de um cão. Era muito parecido com olhar um mapa de um país estrangeiro.

Se pensarmos no cérebro como um imenso computador, a informação entra, o cérebro faz algo com ela, e uma ação é produzida, muitas vezes na forma de movimento. Dessa maneira, entradas (*inputs*) e saídas (*outputs*) formam a primeira grande divisão no cérebro.

As entradas são relativamente fáceis de entender. Toda informação que flui para dentro de nossos cérebros vem pelos cinco sentidos: visão, audição, tato, olfato e paladar. Do ponto de vista do cientista, as entradas podem ser controladas durante um experimento. No experimento que havíamos acabado de realizar, controlamos o canal visual por meio dos sinais de mão, e controlamos o olfato e o paladar fornecendo ervilhas ou cachorros-quentes.

As saídas também são fáceis de entender, especialmente se considerarmos o movimento como a principal saída do cérebro. Os primeiros experimentos de ressonância magnética funcional colocavam pacientes deitados na RM, batendo seus dedos por períodos de trinta segundos. Quando os pacientes batiam os dedos, a atividade na parte do cérebro que controla a mão ficava claramente visível.

O sulco central é uma cavidade no cérebro humano que corre quase verticalmente pelo lado de fora de cada hemisfério. Tudo o que está atrás do sulco central está amplamente ligado com as entradas, e tudo na frente, com as saídas. É um ponto significativo que divide o lobo frontal, em frente do sulco, do lobo parietal, atrás do sulco. É importante notar que a parte frontal do sulco central contém os neurônios que controlam o movimento de todas as partes do corpo. Em direção ao fundo desse sulco, logo acima da orelha, encontramos neurônios que controlam a mão e a boca, e à medida que nos movemos em direção ao topo da cabeça, encontramos neurônios que controlam as pernas. Os neurônios que estão ao longo do sulco central controlam o lado oposto do corpo. Quando você move a mão direita, uma porção do sulco central esquerdo se tornará ativa, e isso pode ser visto facilmente na RM funcional.

Em contraste, os neurônios atrás do sulco central respondem quando as partes correspondentes do corpo são tocadas. Esses são os neurônios sensoriais primários. Conforme você se move mais para a parte de trás da cabeça, as funções dos neurônios se tornam multimodais, o que significa que integram as entradas de muitos sentidos. Na parte de trás da cabeça, encontramos a área visual primária, que recebe informações dos olhos.

Outro marco importante do cérebro humano é a protuberância ao longo dos lados do cérebro, logo acima da orelha. Trata-se do lóbulo temporal. Localizado diretamente ao lado da orelha, partes do lóbulo temporal estão relacionadas à audição. Outras partes do lóbulo temporal, junto do sulco interno próximo ao resto do cérebro, contêm estruturas essenciais para a memória.

No cérebro dos cães, a primeira coisa que se nota é que, além de ser menor, ele tem muito menos dobras. A enorme quantidade de dobras no cérebro humano foi a solução evolutiva para fazer com que coubesse mais cérebro em um pequeno espaço. Se você pudesse achatar o cérebro, veria que todos os neurônios estão contidos em uma camada fina com apenas alguns milímetros de espessura. É como pegar uma folha muito grande de papel e amassá-la em uma bola. Uma vez amassada, uma área muito grande pode caber em um espaço pequeno como o crânio.

A diferente quantidade de dobras no cérebro do cão significa que os pontos de referência usuais, como o sulco central, não existem. Podemos apenas indicar a parte da frente e de trás do cérebro e distinguir o lobo temporal. Em seguida, nota-se que aparentemente o cão não tem um lobo frontal. Essa é a área que realmente distingue os humanos de outros primatas. Os humanos têm os maiores lobos frontais do reino animal. Como os lobos frontais do cérebro estão principalmente ligados com as saídas (*outputs*) – em outras palavras, em fazer as coisas –, acreditamos que essa parte do cérebro se expandiu nos humanos para acomodar funções cognitivas de ordem superior. As funções exclusivamente humanas que residem no lobo frontal incluem a linguagem e a capacidade de pensar simbolicamente; a habilidade de pensar abstratamente sobre o futuro e o passado, o que leva ao planejamento; e a capacidade de mentalizar o que outras pessoas podem estar pensando.

Embora o cérebro do cão pareça, à primeira vista, uma versão reduzida do cérebro humano, há uma área que visivelmente se destaca por seu tamanho. O bulbo olfativo, a parte do cérebro relacionada ao olfato, é enorme no cérebro do cão. Quando o cérebro do cão é visto no plano dorsal na altura dos olhos, o bulbo olfativo parece um foguete. Não há equivalente humano dessa parte do cérebro. O bulbo olfativo do cão e as partes do cérebro ao redor dele compõem quase um décimo do volume total. Certamente, o cheiro é importante para os cães, mas não se sabe quase nada sobre como essa parte do cérebro funciona. Essa pesquisa teria que esperar.

Conseguimos atingir o primeiro marco de sucesso no Dog Project ao obter uma sequência de imagens funcionais em ambos os cães. Nos dias seguintes, combinaríamos as imagens com os registros de tempo do experimento. Se tudo funcionasse, em breve teríamos uma imagem do cérebro dos cães mostrando quais partes respondiam aos sinais de ervilhas e cachorros-quentes.

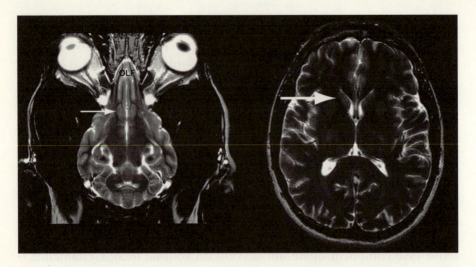

Visão do plano dorsal do cérebro do cão mostrando o bulbo olfativo (à esquerda) e a visão correspondente do cérebro humano (à direita). As setas apontam para o núcleo caudado em ambos os cérebros (imagem do cérebro canino cedida com a permissão de Thomas Fletcher, da Universidade de Minnesota; cérebro humano por Gregory Berns).

Mas o que isso nos diz?

Toda a proposta do Dog Project baseia-se na promessa de descobrir o que os cães pensam. Mesmo se conseguíssemos encontrar as partes do cérebro que respondiam a diferentes sinais manuais, isso não significaria necessariamente que saberíamos o que os cães estavam pensando. Para responder a essa questão mais profunda, teríamos que interpretar os padrões de ativação com base em padrões semelhantes em humanos. Se houver atividade em partes do cérebro canino que pudéssemos identificar, sabendo o que essas partes fazem em humanos, poderíamos começar a construir um mapa funcional do cérebro canino. Usando o *conceito de homologia*, poderíamos inferir processos de pensamento canino a partir de seus equivalentes humanos.

Tratava-se de uma premissa inconsistente.

Nos últimos anos, houve uma reação negativa da comunidade científica contra a neuroimagem. A ressonância magnética funcional facilitou a realização de experimentos mal controlados e a presença de grupos de alunos de graduação no *scanner*. Muitos cientistas, ansiosos para obter logo uma publicação em um periódico de alto nível, fizeram interpretações excessivas dos padrões de atividade que encontraram no cérebro humano. Tornou-se um lugar-comum indicar uma atividade em determinada região do cérebro e interpretá-la como evidência de uma emoção particular ou outra função cognitiva. Era fácil observar a ativação de uma estrutura e concluir, por exemplo, que a pessoa estava se sentindo feliz, triste ou com medo ou algum outro estado emocional baseando-se nas suposições do cientista sobre o que diferentes regiões cerebrais fazem. Por fim, os neurocientistas denominaram esse tipo de raciocínio de *inferência reversa*, e isso se tornou um fator-chave para a rejeição de muito artigos de RM funcional.[22]

Sempre senti que a crítica à inferência reversa, geralmente expressa com o mesmo desprezo que alguém teria por um saco de cocô, era exagerada. Eu não culparia os cientistas por interpretarem excessivamente seus dados. Se eu duvidasse de suas conclusões, poderia apenas olhar para os seus resultados e fazer minhas próprias inferências. Se não acreditasse em seus resultados, eu não os citaria nos meus artigos. Conclusões boas e válidas resistem ao teste do tempo, enquanto as falsas desaparecem na obscuridade e são eventualmente esquecidas.

O Dog Project não estaria apenas utilizando a inferência reversa, mas dependeria dela para analisar o cérebro de um cão como se fosse de um ser humano. Inferência reversa entre espécies. Eu já podia imaginar o que meus colegas diriam sobre isso.

Felizmente, Andrew e eu decidimos ficar com o que realmente sabíamos – o sistema de recompensas. Nossa tarefa de decifrar as funções cerebrais caninas seria muito mais fácil. Ao contrário do córtex, com suas dobras labirínticas, o sistema de recompensa pertence à parte reptiliana do cérebro, evolutivamente mais antiga. O coração do sistema de recompensa é o caudado. Como é muito antigo, todos os mamíferos têm um caudado, e, para nossa sorte, ele parece o mesmo em cães e humanos.

Enquanto os neurocientistas podem argumentar sobre a inferência reversa no córtex, quando fizemos uma análise de inferência reversa no caudado, descobrimos que a atividade nessa região está quase sempre associada à expectativa de algo bom. Contanto que nos ativéssemos ao caudado, poderíamos afirmar com segurança que a ativação dessa parte do cérebro do cão é um sinal de sentimento positivo. Tudo o mais teria que ser interpretado com cautela.

Mesmo que ficássemos limitados a questões simples sobre se o cão tinha sentimentos positivos com base na ativação do núcleo caudado, ainda assim teríamos progredido muito com as imagens cerebrais. Não estaríamos mais limitados a interpretar o comportamento dos cães com base no abanar da cauda, que é um indicador imperfeito do estado emocional de um cão. Os cães abanam o rabo quando estão felizes, quando estão ansiosos ou quando estão inseguros sobre o que fazer. Eu ainda queria saber se os cães retribuíam o nosso amor por eles de alguma forma. E, embora o amor seja uma emoção humana complicada, seus aspectos positivos têm sido regularmente associados à ativação do núcleo caudado.[23]

O primeiro experimento foi uma prova de conceito. Antes de passar para questões complicadas, como o amor, primeiro foi preciso demonstrar que era possível medir a atividade do núcleo caudado em cachorros. Mas não seria suficiente. Precisaríamos mostrar a possibilidade de interpretar essa atividade em termos de quanto os cães gostavam de alguma coisa. Como cachorros-quentes são muito melhores do que ervilhas, especialmente para um cão, o sinal de mão para cachorros-quentes deveria causar maior ativação do núcleo caudado do que o sinal para as ervilhas.

Parecia simples. Mas, como tudo mais sobre o Dog Project, também estava completamente errado.

17

Ervilhas e cachorros-quentes

Com o aparente sucesso da primeira sessão de varredura, Andrew começou a analisar os dados. Estávamos animados não só pela captura de imagens dos cérebros de cães, mas também pela realização de várias varreduras funcionais. Essas execuções funcionais variaram de dois a cinco minutos de duração. À primeira vista, parecia que ultrapassamos em muito nosso objetivo de adquirir uma sequência de dez imagens. No caso de McKenzie, conseguimos uma sequência de 120 imagens. No entanto, logo ficou claro que descobrir o que havíamos capturado seria muito mais difícil do que imaginei.

Quando a empolgação de olhar para as imagens dos cérebros dos cães começou a diminuir, a primeira coisa que notamos foi que os cães não ficaram com a cabeça exatamente na mesma posição. Havia trechos de cerca de dez segundos em que as imagens pareciam estáveis, quase tão boas quanto nas varreduras humanas. E então o cão saía do campo de visão. Seguiam-se alguns segundos com cabeça reaparecendo, mas não exatamente no mesmo lugar.

Foi durante essas lacunas que entregamos as guloseimas aos cães. Normalmente, um humano estaria deitado de costas, com o nariz para cima, quase tocando o interior da bobina da cabeça. Mas como os cães estavam em posição de esfinge, eles ficaram de frente para a extremidade do *scanner*, onde Melissa e eu fazíamos os sinais de mão e a distribuição das guloseimas. Após cada sinal de mão, pegávamos uma ervilha ou um pequeno cubo de cachorro-quente e íamos até os cachorros para que comessem na ponta dos nossos dedos. Claro, os cachorros não conseguiam manter a cabeça quieta enquanto comiam, mas pareciam se acalmar rapidamente. Olhando para as imagens de ressonância magnética, ficou evidente que a mudança de posição era um problema maior do que esperávamos.

De alguma forma, precisávamos descobrir uma maneira de compensar as diferentes posições da cabeça. Na terminologia do processamento de dados da RM funcional, chamamos isso de *correção de movimento*. Normalmente, a correção de movimento é feita digitalmente com um *software* especial após todos os dados serem coletados. O *software* pode descobrir isso automaticamente, deslocando cada imagem até que se sobreponha exatamente à primeira imagem da sequência. Para humanos, é bem simples, porque eles não se movem muito, e as correções geralmente são de alguns milímetros. Como os cães não retornaram à mesma posição a cada vez, o cérebro havia mudado demais de lugar para que o software corrigisse a posição automaticamente.

Em vez disso, voltamos a uma abordagem antiga de definir digitalmente os pontos de referência no cérebro. Primeiro, identificamos blocos de exames nos quais a cabeça do cão estava em uma posição estável, independentemente de onde estivesse no campo de visão. Para cada um desses blocos, colocamos quatro marcações em pontos de referência identificáveis: o bulbo olfativo na frente do cérebro, os lados esquerdo e direito do cérebro e o tronco cerebral na parte inferior. Então usamos o *software* para virar as imagens até que os pontos de referência estivessem alinhados. O movimento pode ser descrito por quanto você desliza, o que é chamado de *tradução*, e por quanto ele gira. Se o cão movesse a cabeça para a esquerda, nós ajustaríamos digitalmente para a direita, mantendo-o no centro. Se ele ergueu um pouco o nariz, giramos digitalmente a imagem para que o nariz ficasse nivelado.

Surpreendentemente, funcionou. Depois, quando assistimos à sequência de imagens acelerada, a cabeça parecia permanecer estável em uma posição. Até Callie, que não ficara tão firme quanto McKenzie, parecia estável nas imagens com correção de movimento. Estávamos prontos para analisar os padrões de ativação.

Naturalmente, assumimos que um sinal manual indicando cachorro-quente seria muito mais excitante do que um para ervilhas, e que essa diferença se refletiria no cérebro dos cães. Para decodificar como seus cérebros processavam esses sinais manuais, seria preciso comparar as respostas cerebrais de cada cão aos sinais de cachorro-quente e ervilha. Usando uma técnica padrão em imagens cerebrais, separamos todos os testes em grupos de cachorros-quentes ou ervilhas. Em seguida, calculamos a resposta cerebral média para cada um desses sinais e subtraímos a resposta média de ervilha da resposta média de cachorro-quente. Se nossa hipótese estivesse correta, a diferença apareceria nas partes do cérebro que respondem às recompensas.

Em vez disso, não encontramos nada. Analisamos as respostas cerebrais de diversas maneiras, mas parecia que os cães não distinguiram os sinais das mãos.

Melissa havia dito desde o início do Dog Project que McKenzie preferia brinquedos à comida. Mas era impossível dar brinquedos para ela brincar no *scanner*. Imagine o movimento da cabeça que isso causaria quando ela se balançasse para trás e para a frente! Usar comida como recompensa era a nossa única opção. Callie, no entanto, mostrava-se bastante motivada por comida. Na verdade, pode ser que seu amor pelas guloseimas tenha passado do ponto.

A ânsia de Callie por comida foi um fator determinante para que aprendesse a tarefa tão rapidamente. Embora ainda parecesse um foguete, pronto para decolar em uma explosão de energia, a perspectiva de um cachorro-quente a manteve parada, pelo menos por um minuto ou mais. Não havia dúvida de que ela adorava cachorros-quentes, e não vi razão para usar qualquer outra coisa durante o treinamento.

A marca dos cachorros-quentes aparentemente também não fazia diferença. Cachorros-quentes de carne *kosher* foram a primeira opção, mas depois começamos a expandir seu paladar. Tentamos salsichas de peru. Uma marca tinha um aroma forte e defumado, e isso me pareceu bastante atrativo. Na verdade, estava tão impregnado com fumaça que o cheiro permanecia nas mãos mesmo após muitas lavagens. Mas Callie realmente gostou. Ela podia ouvir o som do pacote sendo aberto do outro lado da casa e, antes que o cachorro-quente fosse completamente retirado da sacola, estava lá aos meus pés, abanando todo o traseiro, varrendo o chão com sua fina cauda. Com essa reação, era difícil imaginar algo melhor para o treinamento.

Mas Callie era uma comedora insaciável. Será que realmente preferia cachorros-quentes a ervilhas? E se ela não fizesse distinção e comesse qualquer coisa que colocássemos à sua frente?

Isso poderia ser um grande problema. Se os cães não se importassem se comiam cachorros-quentes ou ervilhas, então os sinais manuais seriam inúteis. Eles sabiam que receberiam uma recompensa por colocar a cabeça no descanso, mas, se o tipo de recompensa não fosse importante, não haveria motivos para prestar atenção nos sinais manuais. Nós provavelmente deveríamos ter pensado nisso antes da primeira sessão de varredura, mas a ciência é imperfeita, e você não pode prever o resultado dos experimentos.

Antes de seguir adiante no Dog Project, decidi que valeria a pena testar a distinção de Callie entre cachorros-quentes e ervilhas. Se Callie fosse humana, seria simples perguntar de qual deles ela gostava mais. Como ela não conseguia falar, precisei me ater ao problema clássico de adivinhar o que estava em sua mente, observando o comportamento dela. O truque era criar uma série de testes que a forçassem a revelar qual era sua preferência.

Minha primeira ideia foi deixar Callie escolher entre cachorros-quentes e ervilhas. Pensando como um humano, raciocinei que se eu colocasse um cachorro-quente e uma ervilha em um prato, o que ela comesse primeiro deveria ser o favorito dela.

Tratava-se de um experimento a quatro mãos. Toda vez que eu abria uma sacola de comida, Callie estava bem aos meus pés, onde permanecia até que ganhasse o que queria. Precisei pedir ajuda de Kat para segurá-la enquanto eu preparava o teste.

Enquanto Kat segurava Callie em um lado da sala de estar, coloquei cuidadosamente uma ervilha e um pedaço de cachorro-quente em um prato no lado oposto da sala.

"Vai!", exclamei.

Kat a soltou e Callie correu para o prato. Sem hesitação, ela pegou o cachorro-quente primeiro e depois a ervilha. Até aqui, tudo bem.

"Cachorro-quente!", anunciei.

Sentindo-me muito satisfeito com a ideia, nos preparamos para tentar de novo, só que dessa vez inverti a localização do cachorro-quente e da ervilha. Acenei para Kat e ela soltou Callie. Mais uma vez, ela foi direto para o prato.

17. Ervilhas e cachorros-quentes

E abocanhou a ervilha.

Certo, pensei, não podemos esperar perfeição. Talvez seja excesso de empolgação.

"Ela comeu a ervilha", bradei. "Vamos tentar novamente." Kat revirou os olhos, mas concordou em ajudar novamente. Repetimos o teste dez vezes, e todas as vezes Callie se dirigiu para o lado esquerdo do prato, onde o cachorro-quente ficou no primeiro teste.

"Talvez ela saiba que vai receber as duas recompensas, e por isso vai para o mesmo lado", disse Kat.

Sim, claro. Devo pensar como um cachorro. Se eu fosse Callie, simplesmente pegaria o que estivesse mais próximo e passaria para o próximo, já que ganharia os dois de qualquer maneira.

"E se eu retirar a recompensa que não foi escolhida primeiro?", perguntei. "Dessa forma, ela terá que fazer uma escolha."

Recarregamos o prato, e Kat a soltou. Como antes, Callie lambeu a ervilha no lado esquerdo do prato. Desta vez, peguei o cachorro-quente assim que ela começou a se mover em direção a ele.

Se um cachorro pudesse suspirar, Callie certamente o teria feito. Ela trotou de volta para Kat e esperou por mais uma rodada. Mas no final, parecia não fazer nenhuma diferença. Callie continuou indo para o lado esquerdo, onde a ervilha foi colocada. Como ela poderia preferir uma ervilha a um cachorro-quente? O cachorro-quente estava cheio de carne suculenta, perfeitamente adequado a seus instintos paleolíticos.

Depois de cerca de dez tentativas com a ervilha à esquerda, ela finalmente parou e notou o cachorro-quente no lado direito. Na verdade, foi a primeira vez que a vi parar diante de um pedaço de comida. Como se dissesse: "Ei, de onde veio isso?". E ela foi para o cachorro-quente.

E então ela se ateve ao lado direito.

Cachorro-quente ou ervilha, não fazia diferença. Não importava quantas vezes eu colocasse uma ervilha à direita, ela não ia atrás do cachorro-quente.

Kat sacudiu a cabeça e perguntou: "Você ainda precisa de mim?". "Não", eu disse. "Eu tenho outra ideia."

Eu olhei para Lyra, que assistia à experiência do lado de fora. Ela já estava acostumada a ver Callie trabalhar por guloseimas. Se esperasse o tempo suficiente, sabia que também participaria da festança, apenas por ser bonita. Ela se animou quando me virei para ela.

"Lyra, venha aqui, querida!"

Nós três – Callie, Lyra e eu – fomos para a cozinha.

Agora, com o prato no balcão, coloquei uma ervilha no lado esquerdo do prato e um cachorro-quente à direita. Ambas ficaram tomadas pela ansiedade. Rapidamente, coloquei o prato no chão.

Como esperado, Callie pendeu para o lado direito, onde ainda estava fixada. Antes que pudesse abocanhar o cachorro-quente, me adiantei e o entreguei para Lyra. Um olhar de confusão passou pelo rosto de Callie. Lyra ficou encantada e começou a babar.

Certamente, pensei, isso faria Callie pensar em sua escolha.

Não funcionou. Mesmo com a habitual avareza de Callie, ela continuava a escolher um lado do prato. Ou ela realmente não se importava com a diferença entre cachorros-quentes e ervilhas, ou seu cérebro estava seguindo uma regra simples: fique com o mesmo lado contanto que tenha algo bom.

No dia seguinte, perguntei a Mark sobre essa tendência de ficar apenas de um lado.

"Isso é comum", disse ele. "Alguns cães têm naturalmente uma preferência pelo lado direito ou esquerdo. Outros cães permanecerão com o que os atraiu primeiro. Alguns permanecerão onde quer que eles tenham sido recompensados por último. Outros cães relaxam e avaliam cognitivamente cada situação ou esperam por um sinal."[24]

De fato, o desenvolvimento de uma preferência lateral foi documentado numa série de experimentos cognitivos em cães no ano de 2007. Pesquisadores da Universidade de Michigan tentaram determinar se cães tinham um conceito de quantidade. Um cão sabe que dois pedaços de comida são melhores que um? Parece óbvio para nós, seres humanos, mas, se você pensar sobre isso, "quantidade" é realmente um conceito bastante avançado. Requer algum conhecimento da física do mundo, que volumes maiores contêm mais coisas e que mais é melhor. Embora existam evidências de que crianças podem discriminar diferenças básicas entre, digamos, um e dois objetos, a habilidade cognitiva chamada *numeração* não se desenvolve totalmente em humanos até a primeira infância.

17. Ervilhas e cachorros-quentes

Os pesquisadores queriam saber se os cães tinham habilidades semelhantes às dos bebês humanos. Eles testaram 29 cães em uma tarefa muito semelhante à que eu havia inventado na minha cozinha. Pratos com diferentes quantidades de alimento foram oferecidos aos cães, e eles observaram qual prato os cães escolhiam. A maioria dos cães escolheu o prato com mais comida, embora não o tempo todo. Não ficou claro se os cães realmente tinham um senso de quantidade ou se estavam apenas respondendo por palpites à percepção de pilhas maiores de comida. De qualquer maneira, percebeu-se que oito cães tiveram que ser excluídos da análise porque desenvolveram uma preferência lateral independentemente da quantidade apresentada.

Então, Callie tinha tendência a preferir um lado, o que parece ser uma característica normal entre os cães. Ainda assim, fiquei desapontado ao descobrir que minha cadelinha não era nenhum Einstein. Não sabia nada sobre as preferências de McKenzie, mas, como pelo menos um de nossos pacientes não sabia dizer a diferença entre ervilhas e cachorros-quentes, uma mudança no experimento era urgente.

No dia seguinte, relatei minhas descobertas para o pessoal do laboratório.

Andrew ficou desapontado. "Se não se importam com a diferença entre ervilhas e cachorros-quentes, como nosso experimento vai funcionar?"

"Não vai", respondi. "Se ervilhas e cachorros-quentes são a mesma coisa para os cães, os sinais das mãos não transmitem informações úteis. Enquanto colocarem a cabeça no descanso, eles sabem que receberão uma recompensa. Eles não se importam com o que seja."

Ninguém conseguia entender por que os cães não discriminavam os dois alimentos. Estávamos presos, pensando como humanos. Era preciso pensar como um cachorro.

"E se nós simplesmente nos livrarmos das ervilhas?", divaguei.

"Você quer dizer um experimento de recompensa *versus* não recompensa?", Andrew perguntou.

"Exatamente. Mesmo que os cães não se importem com a escolha entre cachorros-quentes e ervilhas, com certeza vão preferir ganhar cachorros-quentes a não ganhar nada."

Andrew assentiu, concordando.

Isso não exigiria nem mesmo um novo treinamento. Nós já temos os dois sinais manuais. A mão esquerda para cima significava "cachorro-quente". Agora, duas mãos apontadas uma para a outra significariam "sem cachorro-quente" em vez de "ervilha".

"Não acha que os cães podem ficar irritados e parar de fazer a tarefa?", Andrew perguntou.

Era uma boa pergunta. Se fosse eu no simulador de ressonância magnética, sairia de lá correndo assim que percebesse que não ganharia comida o tempo todo. Os psicólogos chamam isso de *extinção*, o que significa que, se você parar de recompensar um comportamento previamente aprendido, o comportamento será esquecido.

Porém, os cães podem ver de maneira diferente. Não recompensar cada tentativa pode aumentar sua motivação. Isso é chamado de reforço variável – RV, para abreviar. RV é muito comum em experimentos com animais. Um cronograma RV10 significa que o animal é recompensado, mas, em média, apenas uma em cada dez tentativas. A imprevisibilidade da RV tende a tornar os animais mais atentos e a trabalhar mais para obter a recompensa.

Algo tão drástico quanto o RV10 não funcionaria em nosso experimento. Era impossível imaginar Callie sentada durante dez repetições de sinais manuais para conseguir apenas um pequeno cubo de cachorro-quente. Se eu estivesse no seu lugar, começaria a questionar aquilo depois da terceira repetição sem ganhar guloseimas. Por volta da quinta repetição sem comida, eu provavelmente desistiria completamente e largaria o experimento. Eu suspeitava que Callie também não aguentaria. Mais importante, isso resultaria em um desequilíbrio no número de observações coletadas no *scanner*. Se fizéssemos dez tentativas do sinal de mão sem recompensa para cada um dos sinais com recompensa, não seria uma comparação justa. Seria necessário um número igual de tentativas recompensadas e não recompensadas para que funcionasse. A solução foi simples: RV2.

17. Ervilhas e cachorros-quentes

Um cronograma RV2 significa que aproximadamente metade dos testes será recompensada (dois testes para cada um que é recompensado). Isso daria um número igual de observações para ambos os sinais manuais. Desde que não alternássemos, o que tornaria o teste completamente previsível para os cães, eles deveriam permanecer bastante motivados.

Naquela noite, tentei o cronograma RV2 com Callie.

Como de costume, o farfalhar da sacola de cachorro-quente a atraiu para a cozinha. "Quer fazer um pouco treinamento?", disse com a voz aguda que usava para falar com os cães.

Callie inclinou a cabeça e foi para a sala de estar. Quando cheguei lá, ela já estava dentro do tubo com a cabeça no descanso do queixo. Para aquecer, passamos por várias tentativas, como de costume. Mão esquerda para o alto, mantida por dez segundos, e então, a recompensa. Quando pareceu que já estava ajustada, passei a fazer o sinal de duas mãos que anteriormente significava ervilhas. Dessa vez, depois de dez segundos, em vez de lhe dar uma ervilha, apenas toquei sua testa. Ela achou que uma ervilha estava chegando e tentou lamber minha mão. Com nada ali, ela parecia intrigada.

Apontei para o queixo e disse: "Toque".

Callie rapidamente colocou a cabeça para baixo. Para ter certeza de que ela não estava confusa, mostrei-lhe imediatamente o sinal de recompensa e, em vez de esperar dez segundos, recompensei-a imediatamente. Na tentativa seguinte, dei o sinal de duas mãos, sem recompensa, e rapidamente terminei o teste com um toque na cabeça. Repetimos isso por cerca de cinco minutos e, surpreendentemente, ela não ficou entediada nem saiu do simulador. Em vez disso, sua postura e atenção melhoraram. Seu posicionamento tornou-se mais consistente, e seus olhos estavam fixamente atentos nas minhas mãos. Agora, quando mostrei o sinal de recompensa, pude ver suas pupilas se dilatarem, indicando um alto nível de excitação positiva. E ela permaneceu imóvel.

O RV2 foi um sucesso! Se Callie pôde entender tão rápido, eu tinha certeza de que McKenzie também iria. E com as pupilas dilatadas, ficou claro que agora Callie se importava com os sinais de mão.

Se isso não funcionasse, nada iria funcionar. Estávamos prontos.

Pelos olhos de um cão

Não havia muito tempo para treinar Callie e McKenzie na nova versão da atividade. Poderíamos ter investido mais no treinamento, mas a logística de encontrar um dia em que Mark, Melissa, Rebeccah e o *scanner* estivessem disponíveis ditou a programação, e a data seguinte para que todos pudessem se encontrar novamente era em apenas duas semanas. Se perdêssemos essa data, teríamos que esperar mais um mês para reservar o tempo necessário no *scanner*. Estávamos sob pressão.

Pelo menos sabíamos que os cães eram capazes. Todas as outras vezes que fomos ao *scanner*, conseguimos mais do que eu esperava, e estava contando que dessa vez não seria diferente. Os cães sabiam o que tinham que fazer. A única incerteza era a quantidade de dados que poderíamos coletar e se seria suficiente para demonstrar a atividade do núcleo caudado.

O sinal da RM funcional é muito fraco. Nós medimos a atividade como a mudança relativa na intensidade do sinal em relação ao nível basal. Mas mesmo nas melhores circunstâncias, a intensidade do sinal aumenta menos de 1%. Para piorar, o sinal da RM funcional é ruidoso. O barulho, que vem da variação da frequência cardíaca, respiração e até mesmo da parte eletrônica do *scanner*, cria flutuações no sinal que são dez vezes maiores que a variação que estamos procurando. A relação sinal-ruído (SR) da ressonância magnética é, portanto, bastante baixa. Felizmente, o barulho é aleatório. Se coletássemos repetições suficientes durante o experimento, poderíamos fazer uma média dos sinais de RM funcional de cada uma delas, e os efeitos do ruído seriam diminuídos.

Muitas vezes, ao fazer um experimento pela primeira vez, você não sabe qual é o tamanho do sinal; portanto, é preciso fazer um palpite de quantas repetições serão necessárias para detectá-lo. O Dog Project estava prestes a passar de um simples truque de cachorro e entrar no âmbito da verdadeira ciência. Para dar esse salto, primeiro precisaríamos descobrir quantas repetições seriam necessárias.

Andrew e eu examinamos de perto o que havia sido coletado no primeiro dia de varredura. Embora não houvesse diferenças entre ervilhas e cachorros-quentes, ainda havia informações úteis nos dados. Poderíamos estimar a relação sinal-ruído do cérebro do cão e, a partir disso, determinar quantas repetições Callie e McKenzie teriam que fazer no exame seguinte.[25]

Andrew deu uma olhada no núcleo caudado do cérebro de McKenzie. Ele criou um gráfico do nível de atividade no caudado para cada varredura feita. As primeiras varreduras não tinham sinal porque McKenzie só colocou a cabeça na bobina depois da vigésima varredura. E então, parecia barulho. Era difícil dizer quanto do barulho foi causado por fontes usuais ou por sua leve movimentação durante a varredura. O tamanho das flutuações media cerca de 15% do sinal total. Isso era muito maior do que em estudos com humanos.

Eu soltei um suspiro e disse: "Nós precisaríamos de mil repetições para elevar o SR a um nível razoável". Nenhum cachorro ou humano ficaria parado por tanto tempo. "Isso tem que ser do movimento."

"E é", disse Andrew. "Dê uma olhada."

Andrew passou a sequência das imagens de McKenzie. Esse gesto teve o efeito de criar um filme com as imagens do cérebro de McKenzie. A sessão de varredura de cinco minutos foi comprimida em trinta segundos. Embora tivéssemos capturado apenas metade de seu cérebro, o filme deixou claro que, embora McKenzie estivesse na bobina durante toda a sessão, ainda assim estava se movendo. Não muito. Mas apenas o suficiente para gerar artefatos nas imagens. O filme do cérebro de Callie era parecido.

Para ser justo com os cães, eles fizeram o que pedimos a eles. O grau de movimento aqui é da ordem de milímetros. Durante o estresse daquela sessão, nem Melissa nem eu notamos isso. Também não poderíamos fazer muito a respeito.

"Bem", eu disse, "temos duas semanas para treiná-los a não se mexerem." Andrew parecia cético.

Os cães teriam que se mover menos de dois milímetros, e eles teriam que ficar parados apenas durante o período de colocar a cabeça no descanso de queixo, enquanto fazíamos o sinal de mão. Depois que pegassem o cachorro-quente, poderiam comê-los tranquilamente e se acomodar no descanso do queixo. Seria necessário tempo suficiente apenas para o sinal da ressonância magnética atingir um pico e começar a decair – aproximadamente dez a quinze segundos. Se os cães permanecessem imóveis durante esse tempo, calculamos que vinte repetições poderiam ser suficientes para elevar a SR a um nível aceitável. Isso sem contar com a varredura estrutural, que não foi possível obter, nem em Callie, nem em McKenzie. Essa varredura exigiria que os cães permanecessem imóveis por trinta segundos.

Trinta tornou-se o número mágico. Durante o treinamento, era preciso aumentar gradualmente o tempo entre o sinal da mão e a recompensa, até que os cães conseguissem ficar absolutamente imóveis por meio minuto. Se pudessem fazer isso, seria possível fazer a varredura estrutural e registrar muitas repetições funcionais.

Callie não pareceu se importar com a mudança nos procedimentos de treinamento. A princípio, sentia uma pontada de culpa toda vez que eu colocava o sinal de *"nada-de-cachorro-quente!"*. Callie olhava-me impassível de seu lugar no simulador. *Estou na bobina da cabeça, por que não ganho cachorro-quente?* Às vezes eu a tocava levemente no alto da cabeça, indicando que queria que ela tentasse novamente. Mas isso logo se tornou supérfluo.

Parecia cruel negar recompensas, mas eu confiava no conselho de Mark e seguia o cronograma de treinamento RV2.

Mark estava certo. Depois de mudar para o reforço variável, Callie realmente começou a prestar atenção. Ela não tinha escolha. Com ervilhas e cachorros-quentes, ela era recompensada a cada repetição, então não havia necessidade de prestar atenção no que eu estava fazendo. Agora, ela notava cada pequeno movimento. Se meu ombro se contraía, os olhos de Callie perseguiam o movimento. Era tão rápido que, se não estivéssemos olhando diretamente um para o outro, eu nunca teria percebido.

Continuei gravando nossas sessões de treinamento. Com uma câmera digital em um tripé, eu podia filmar diretamente sobre meu ombro esquerdo. Embora Callie e eu estivéssemos nos encarando durante o treinamento, a câmera pegou coisas que eu não tinha notado em tempo real. Mark e eu revisamos esses vídeos como treinadores de futebol na segunda-feira após o dia do jogo. Ele corrigia minha técnica enquanto tentávamos eliminar todas as minhas "falas". Gostaríamos que os cães se concentrassem apenas nos sinais de mão. Callie não era a única que teria que ficar paradinha. Eu também. Exceto pelos sinais de mão, não queríamos outros movimentos corporais.

Aumentamos o ruído durante o treinamento também. Tanto Callie quanto McKenzie reagiram negativamente ao súbito aparecimento das sequências de calibragem e do localizador, por isso, incorporamos gravações desses ruídos no treinamento diário. Quanto mais os cães se acostumassem aos sons, mais confortáveis eles ficariam.

Tentamos até mesmo fazer associações positivas com o barulho. Eu começava a reproduzir o ruído do *scanner* nos alto-falantes e chamava Callie na sala de estar. Nós brincávamos de lutar e de cabo de guerra enquanto o som tocava alto. Lyra também participava. Alguns dias depois, Callie corria para a sala assim que ouvia o barulho do *scanner*. Colocando os protetores de ouvido, eu acionaria o amplificador para 95 decibéis, treinando o efeito completo. Ela não se importava. Callie apenas subia os degraus até o tubo e se acomodava na bobina da cabeça, lambendo os lábios e esperando por cachorros-quentes.

Foi durante esse intenso período de treinamento que nossa relação começou a mudar. Em vez de mestre-cão ou subordinado-dominante, nos tornamos uma equipe. Nós éramos como arremessador e apanhador. Por falta de uma palavra melhor, era como um relacionamento íntimo.

Há algo profundamente pessoal em olhar diretamente nos olhos de outra pessoa. Os olhos dos humanos são únicos. Temos mais branco em nossos olhos do que qualquer outro animal, o que significa que podemos dizer com precisão extraordinária onde outras pessoas estão olhando. Uma teoria diz que os olhos dos humanos evoluíram dessa maneira como meio de comunicação não verbal. Usando apenas movimentos oculares, podemos, por exemplo, dizer a outras pessoas para onde devem direcionar sua atenção.

Tão importante quanto isso, podemos deduzir muito sobre os processos de pensamento de alguém apenas observando onde ele está olhando. Olhando diretamente para você? Ele está definitivamente interessados. Olhar distante ou vagando? Não muito.

Em circunstâncias normais, quando olhei nos olhos dos animais, até mesmo nos nossos queridos animais de estimação, nunca senti uma forte ligação recíproca. Claro, eles olhavam de volta, mas o abismo entre as espécies era grande demais. Era como olhar para um abismo, sem nenhuma pista sobre o que se escondia atrás daqueles grandes olhos castanhos.

Agora, olho no olho, eu podia ver meu reflexo nos olhos de Callie. Sim, ela queria cachorros-quentes, mas havia algo mais. Callie estava se comunicando comigo o tempo todo. Eu havia sido aquela pessoa cega demais para perceber isso. Mas agora, quando estávamos nos encarando por minutos a fio, não houve como ignorar isso. Sutilezas de expressão, o modo como mantinha as sobrancelhas, a tensão nos ouvidos, o formato de seus lábios e, é claro, para onde ela dirigia os olhos – tudo isso dizia muito.

Agora, tarde demais, percebi que Newton fizera o mesmo.

Como os treinadores de cães sabem há um século, os cães são extremamente sensíveis em captar sinais em seu ambiente. Os cães agem segundo uma "teoria do comportamento", que é um termo científico amplo para dizer que os cães aprendem que certos comportamentos levam a certos resultados. Essa é a base do reforço positivo. Mas olhando nos olhos de Callie, e observando como ela olhava de volta, comecei a suspeitar que ela estava fazendo algo mais. Ela estava percebendo onde minha atenção estava.

A capacidade dos cães de rastrear a atenção dos outros só foi recentemente descoberta. Em 2004, pesquisadores na Hungria testaram até que ponto os cães interpretavam a atenção dos humanos. Eles montaram uma série de experimentos que incluíam tarefas de busca com variações nas posições do rosto e do corpo dos humanos. Os pesquisadores queriam saber como os cães reagiam a um humano quando o olhavam diretamente, ou quando desviavam o olhar, e se a visibilidade dos olhos humanos fazia diferença. Para esconder os olhos dos cães, a pessoa era vendada. Os pesquisadores descobriram que os cães sentiam a atenção do ser humano, mas isso dependia de um contexto específico. Em brincadeiras, os cães não pareciam se importar se o humano estava olhando para eles, mas, se o homem comandava a tarefa, então, os cães prestavam muita atenção para onde o humano estava olhando.[26]

Há evidências não apenas de que os cães são sensíveis à atenção dos humanos, mas também são sensíveis ao contexto social. Eles sabem quando é preciso levar em consideração a atenção do seu humano e quando não é. Isso significa que os cães têm mais de uma *teoria do comportamento*. Eles têm uma *teoria da mente*.

Nos seres humanos, a teoria da mente, ou TM, significa que podemos imaginar o que outra pessoa pode estar pensando. Refletindo a importância da vida social nos seres humanos, a maior parte de nossos grandes lóbulos frontais parece estar preocupada com essa função. Gastamos enormes quantidades de energia mental navegando pela complexa estrutura social da sociedade humana. Saber ler as pessoas e como se comportar em ambientes sociais distintos pode ser a diferença entre sucesso e fracasso. No outro extremo, o autismo pode representar uma falha do sistema de TM no cérebro.[27]

Se cães têm habilidades de TM, elas provavelmente são mais simples que as nossas. Os pequenos lóbulos frontais no cérebro dos cães são uma clara evidência disso. Mas mesmo que os cães tenham apenas um sistema de TM rudimentar, isso significa que cães não são apenas uma máquina de resposta-estímulo pavloviana. Isso quer dizer que os cães podem ter aproximadamente o mesmo nível de consciência que uma criança pequena.

Quando meu desempenho com Callie melhorou, tive a sensação crescente de que estávamos começando a ler a mente um do outro. Claro, não havia provas disso. O pensamento era tão louco que nem sequer o expressei no laboratório. Mas estávamos prestes a descobrir que minha intuição não estava completamente errada.

O segundo dia de varredura chegou em uma tarde chuvosa de fevereiro. Sob a proteção de guarda-chuvas, a comitiva voltou a fazer a caminhada do laboratório para o hospital. Já não havia muita novidade naquilo, então menos pessoas compareceram e a atmosfera geral estava mais calma e mais profissional. Robert e Sinyeob cumprimentaram-nos com o *scanner*. Dessa vez, eles não estavam sorrindo. Sabíamos que os cães podiam fazer isso e estávamos lá para fazer ciência.

Não houve necessidade de mexer nas configurações do *scanner*. Robert simplesmente importou os parâmetros finais usados na última vez e estávamos prontos. O plano era fazer a calibragem e o localizador, duas séries funcionais de cinco minutos de cachorros-quentes *versus* não cachorros-quentes, e depois uma varredura estrutural de trinta segundos. Sem imprevistos, poderíamos passar pelo procedimento em trinta minutos para cada cão.

O fato de todos saberem o que fazer realmente ajudou. Rebeccah usou seu toque mágico com os protetores de ouvido e a bandagem ao redor da cabeça de Callie. Andrew assumiu sua posição na parte traseira do ímã, pronto para registrar o tipo de repetição – cachorro-quente ou não cachorro-quente. Melissa e Mark acomodaram McKenzie em sua caminha de filhotes até que chegasse sua vez. Fiz sinal para Callie entrar no *scanner*.

Para evitar assustar os cães com o início repentino de zumbidos, Mark teve a grande ideia de tocar as gravações usadas durante o treinamento. Toda sala de ressonância magnética tem um interfone para permitir a comunicação entre o paciente e o técnico. Depois que Callie se acomodou no descanso do queixo, a equipe na sala de controle colocou um MP3 *player* no interfone e começou a tocar a gravação do ruído do localizador. No início, bem suavemente, e depois aumentaram o volume de forma gradual. Logo pude ouvir o familiar enxame de abelhas emanando dos alto-falantes embutidos no ímã. Como o som surgiu gradualmente, Callie não se mexeu.

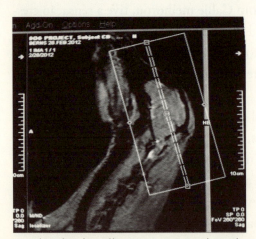

Localizador de Callie com a caixa indicando o campo de visão (foto de Gregory Berns).

Eu assenti para Andrew. O zumbido continuou. E então parou.

"O que aconteceu?", perguntei. Andrew encolheu os ombros. Callie me seguiu até a sala de controle.

"Por que você parou a varredura?" Robert parecia confuso. "Nós não paramos", disse ele. "Veja."

Lá, na tela do computador, havia uma imagem perfeita de

18. Pelos olhos de um cão

Callie de perfil. A imagem foi cortada bem no meio da cabeça, possibilitando uma bela visão de seu cérebro e medula espinhal. Robert já havia posicionado a caixa delimitadora para o campo de visão. O uso da gravação pelo interfone funcionou tão bem que nem eu nem Callie notamos quando a varredura real começou!

Com o campo de visão definido, nos preparamos para as varreduras funcionais. Mostrei a Callie o pote de cachorro-quente e seus olhos se arregalaram. Tudo o que tinha que fazer era apontar para o ímã, e ela entraria correndo.

Dessa vez, tocamos as gravações da sequência funcional pelo interfone. O volume foi aumentando gradualmente, e, depois de alguns segundos, pude ouvir as varreduras reais começarem. Eles soavam quase idênticos. Callie não se importou. Seus olhos eram como *lasers* nos meus. Eu levantei minha mão esquerda para indicar que ela tinha se saído bem e lhe dei um pedaço de cachorro-quente.

Estávamos progredindo bem. Eu alternava repetições entregando cachorros-quentes e não entregando, mantendo a sequência imprevisível, fazendo duas ou três experiências do mesmo tipo. Callie ficou muito tranquila. Sempre que fazia o sinal "não cachorro-quente", ela olhava para mim e esperava até que fizesse o sinal de "cachorro-quente". Comecei a perceber que, em vez de ficar desapontada durante os testes sem cachorro-quente, Callie entendeu esses sinais manuais como irrelevantes. Ser avisada de que não ganharia um cachorro-quente não dizia nada sobre quando ela iria conseguir um. Essa interpretação logo seria confirmada por sua ativação cerebral.

Ao contrário da sessão de varredura anterior, dessa vez fomos muito mais eficientes. Em pouco tempo, executamos duas varreduras funcionais de cinco minutos, quase quatrocentas imagens no total. Faltava apenas a varredura estrutural de trinta segundos. Nesse ponto, Callie parecia cansada e entediada; mesmo assim, foi pela quarta vez. As gravações da sequência estrutural foram aumentadas lentamente pelo interfone, e então a varredura real começou. A sequência estrutural parece muito com o localizador, mas Callie permaneceu ali durante todo o procedimento.

Ela conseguiu. Ela permaneceu imóvel. Eu corri em volta do *scanner* e dei a ela um punhado de cachorro-quente.

"Você é uma boa menina!", exclamei. "Você é uma super *feist*!" Robert já tinha as varreduras estruturais na tela. Ali, diante de nossos olhos, estava a primeira imagem estrutural detalhada de um cão completamente desperto. Meu queixo caiu. Nós tínhamos acabado de obter quase quatrocentas varreduras funcionais e uma imagem estrutural à altura de qualquer coisa que tivéssemos sobre humanos.

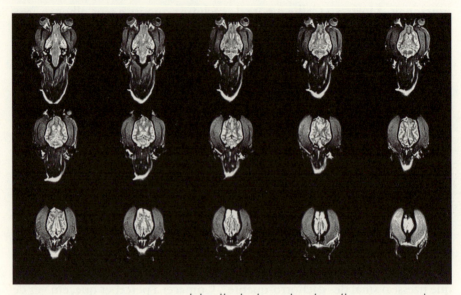

A primeira imagem estrutural detalhada do cérebro de Callie é comparável em qualidade com as varreduras humanas (foto de Gregory Berns).

Mesmo que McKenzie se saísse mal, eu estava confiante de que tínhamos alcançado nosso objetivo de obter escaneamentos funcionais suficientes.

"Quantas repetições conseguimos?"

"Parece que ela fez vinte testes com cachorro-quente e dezenove testes sem cachorro-quente", disse Andrew.

"Minha nossa!", eu estava maravilhado. "Isso deve ser suficiente para análise. Vamos torcer para que o SNR seja alto o suficiente."

Callie se sentou ao meu lado. Eu olhei nos olhos dela, e ela soube.

Sim, eu sou o melhor cachorro.

Se eu tinha alguma preocupação com Melissa e McKenzie, ela rapidamente desapareceu. O truque de tocar as gravações pelo interfone também fez maravilhas para elas. Finalmente conseguimos uma imagem do localizador para McKenzie, o que permitiu situar precisamente o campo de visão, evitando cortar metade de seu cérebro novamente. Para as varreduras funcionais, Melissa foi mais exigente do que eu. Ela fez as repetições com muita calma, exigindo que McKenzie ficasse quieta por quinze segundos em cada tentativa, quando exigi que Callie ficasse por apenas dez segundos.

McKenzie era como uma rocha. Robert e eu assistimos a suas imagens surgirem na tela em tempo real. Ela não estava se movendo. Não mesmo. Executaram as duas varreduras funcionais e, pela primeira vez, conseguimos uma imagem estrutural do cérebro de McKenzie.

Sucesso nas duas empreitadas!

Não só o dia foi um sucesso completo, como também conseguimos realizar tudo isso em duas horas – metade do tempo da sessão anterior.

Mas ainda assim foi exaustivo. Quando se está cara a cara dentro do ímã com britadeiras ao seu redor, o nível de concentração, tanto para cães quanto para humanos, é intenso. Quando Callie e eu finalmente chegamos em casa, caímos juntos no sofá. Olhamos um para o outro uma vez e depois fechamos os olhos.

Eureca!

Andrew não perdeu tempo. No dia seguinte, já havia começado a análise dos dados de Callie e McKenzie. Assim como nas repetições das ervilhas e cachorros-quentes, a primeira e mais complicada parte da análise seria a correção de movimento. Tivemos que identificar cuidadosamente quais exames continham cérebros e descartar aqueles que apresentaram movimentações. Acelerar a sequência de imagens facilitou a tarefa.

Andrew me mostrou a animação.

"Dê uma olhada nisso", disse ele.

Uma imagem em *pixels* do cérebro de um cachorro dançou na tela do computador. Durante vários quadros, que na verdade eram dezenas de segundos em tempo real, a imagem não se moveu. Exceto os globos oculares, que se moviam para a esquerda e para a direita.

"Esta é Callie", continuou Andrew. "Ela se saiu muito bem. Se descartarmos as varreduras com artefatos de movimento, ainda temos 62% para análise."

Meu coração se encheu de orgulho pela minha cadelinha.

"Isso é incrível", eu disse. "Isso é cinco vezes melhor do que a sessão anterior. E McKenzie?"

"Quase tão bom. Conseguimos manter 58%. Ela fez dezesseis testes com cachorros-quentes e onze testes sem cachorro-quente."

"Melissa estava realmente fazendo ela ficar parada por um longo tempo", eu disse.

"Sim", disse Andrew, "mas isso significa que teremos muitas varreduras para cada repetição."

Passamos os dois dias seguintes verificando e verificando novamente cada etapa da análise. Para ter certeza de que não estávamos confundindo a ativação cerebral com artefatos de movimento, mantivemos nossos critérios para manter uma varredura na análise. Andrew e eu olhamos para as animações, procurando até a mais leve contração da cabeça. A maior parte dos movimentos da cabeça ocorreu quando nós demos cachorros-quentes, o que não era uma surpresa. Contudo, não estávamos interessados na resposta do cérebro aos cachorros-quentes. Estávamos interessados na resposta aos sinais de mão. Terminada a identificação e o descarte das imagens com movimento, os exames restantes mostraram que os cães mantiveram suas cabeças com menos de um milímetro de movimento durante o período crítico dos sinais de mão. Isso foi tão bom quanto humanos no *scanner*. Estávamos prontos para a etapa final: comparar a ativação entre os dois sinais manuais.

Todos os experimentos de RM medem mudanças relativas na atividade cerebral entre diferentes condições. Com apenas duas condições – o sinal de "cachorro-quente" e o sinal de "nada de cachorro-quente" –, tudo o que tínhamos que fazer era subtrair a atividade cerebral de uma condição da outra. A diferença nos mostraria quais partes do cérebro dos cães processavam o significado dos sinais.

Para isso, geralmente calculamos a diferença de atividade em todos os locais do cérebro e realizamos um teste estatístico para determinar se os resultados são reais ou simplesmente flutuações aleatórias no sinal da ressonância magnética funcional. Em seguida, criamos um mapa a partir dessa análise e o sobrepomos na imagem estrutural. Por convenção, os neurocientistas usam um esquema de cores que varia do amarelo para ativações fracas até o vermelho brilhante para as fortes. Andrew fez a subtração para Callie.

Todos no laboratório esperavam por esse momento e se reuniram em volta da tela do computador.

Ali, sobrepostos ao cérebro em forma de pirâmide de Callie, havia vários pontos em amarelo e vermelho. Ainda não sabíamos o que a maior parte do cérebro estava fazendo. Era preciso manter o foco na única região sobre a qual tínhamos extenso conhecimento.

"*Zoom* no caudado", eu disse.

Como imaginamos, uma bolha alaranjada estava exatamente em cima do caudado direito. Não havia dúvida. O laboratório olhou espantado e soltou um suspiro coletivo.

O mapa de ativação de McKenzie era ainda mais forte. Ambos os cães apresentaram provas cabais de ativação do caudado ao sinal de "cachorro-quente", mas não ao sinal "nenhum cachorro-quente".

Se apenas um dos cães apresentasse ativação do caudado, seria fácil descartá-la como um acaso. Mas nós estávamos olhando para ativação caudada em ambos os cães. As chances de isso acontecer por acaso calculamos ser de 1 em 100.

"Ativação do núcleo caudado em ambos os cães?", eu disse. "Isso não é um acidente. Isso é real."

No jantar daquela noite, dei a boa notícia para as meninas.

"O Dog Project funcionou", anunciei.

"Do que você está falando?", Kat perguntou.

"Encontramos ativação do sistema de recompensa em ambos os cães."

"Então", Kat disse ceticamente, "você descobriu que cachorros gostam de cachorro-quente?"

"Não", eu respondi. "Descobrimos que eles entendem o significado de sinais manuais."

Essa distinção era crucial. Na verdade, Andrew e eu havíamos observado, sim, a ativação do caudado aos cachorros-quentes. Mas, como a entrega dos cachorros-quentes também fez Callie e McKenzie moverem suas cabeças enquanto engoliam e lambiam os lábios, tivemos que descartar grande parte dessas varreduras. Mesmo assim, a ativação do núcleo caudado ainda era evidente. Entretanto, pelas mesmas razões sugeridas por Kat, tal descoberta não seria muito surpreendente. Todo mundo sabe que cachorros gostam de comida.[28]

O grande resultado foi a ativação do núcleo caudado ao sinal da mão para "cachorro-quente", mas não ao sinal "nada de cachorro-quente".

Os behavioristas pavlovianos diriam: "Ah, os cães aprenderam a associação entre um estímulo neutro – o sinal da mão – e uma resposta incondicionada, a comida. Nada no cérebro implica uma compreensão do significado". Se tivéssemos feito o experimento como Pavlov, usando o toque de um sino, por exemplo, ou o acender de uma luz no lugar do sinal da mão, isso certamente seria verdade. Mas nós usamos gestos de mão. Os seres humanos tomam por certo que gestos transmitem uma grande quantidade de informações, quase tanto quanto os olhos. É possível que os cães atribuam tanta importância aos movimentos da mão quanto nós?

Um conjunto crescente de evidências sugere que sim.

Brian Hare, um antropólogo da Universidade Duke, foi pioneiro no estudo da cognição social em cães, especialmente no alcance de sua compreensão dos sinais sociais humanos. Em seus experimentos iniciais, Hare escondeu comida em um dos vários locais possíveis em uma sala. Um homem ficava na sala e apontava para o local correto. Quando um cachorro entrou na sala, ele foi capaz de usar a dica para encontrar mais rapidamente a comida. Frequentemente, os cães faziam isso já na primeira tentativa, indicando que a aprendizagem associativa simples, como os behavioristas acreditavam, não poderia explicar a habilidade dos cães em intuir o significado dos sinais sociais humanos. Os cães parecem ser particularmente hábeis em ler sinais humanos. Mais tarde, Hare testou lobos e chimpanzés, e nenhum deles se saiu tão bem quanto os cães.

Mesmo na mesa de jantar, pude ver que Callie estava totalmente sintonizada com nossa interação social humana. Lyra, nem tanto. Mas Callie sentou-se na posição relaxada. Sua cabeça girava para quem estava falando. Embora ela não pudesse entender todas as palavras, se alguém dizia uma das palavras que conhecia, como *andar*, ela corria para aquela pessoa e começava a abanar vigorosamente o rabo. Mais do que a fala, eu sabia que ela entendia sinais de mão, pois bastava apontar para o tubo de RM, e ela imediatamente entraria.

Agora, estávamos diante do enigma da inferência reversa.

Se estivéssemos estudando humanos, a interpretação da ativação do núcleo caudado seria bem simples. Na verdade, meus colegas e eu fizemos exatamente esse tipo de experimento dez anos antes. Em vez de cachorro-quente, usamos um suco. Naquele experimento, nossos pacientes humanos estavam deitados no *scanner* com um canudo serpenteando em suas bocas. Quando uma luz verde aparecia na tela do computador, os pacientes precisavam apertar um botão e, alguns segundos depois, conseguiam um jato de suco em suas línguas. Assim como Callie e McKenzie, os caudados dos humanos se ativaram no sinal que indicava suco iminente. Desde então, esse resultado foi replicado dezenas de vezes por nós e por outros pesquisadores. A vantagem com os humanos, é claro, é que você pode perguntar o que eles achavam e sentiam em resposta aos sinais.[29]

Inevitavelmente, as pessoas atribuíram significados aos sinais. Para algumas pessoas, os sinais geraram um estado de antecipação. De fato, um estado de antecipação aguçado, sobretudo por algo bom, é provavelmente a emoção mais associada à ativação do caudado. Esse estado de antecipação induz as pessoas a conseguir o que desejam. No extremo, chamamos isso de *desejo de ânsia*, e acredita-se que uma atividade disfuncional do caudado esteja associada a vícios. Agora, se simples sugestões do computador forem substituídas por sugestões mais humanas, a atividade do caudado será ainda maior. Para os humanos, parece haver um efeito bônus no caudado em sugestões sociais, mesmo que elas transmitam as mesmas informações que as não sociais.

Por que os cães deveriam ser diferentes? Na verdade, a pesquisa mostrou que os cães se importam muito com o significado dos sinais humanos. À luz das descobertas de Hare, parecia provável que Callie olhasse para meus sinais de mão e construísse uma teoria sobre o que eu estava pensando ou, pelo menos, pretendendo. Teoria canina da mente.

Se Callie estava tentando intuir o que eu estava pensando, era inevitável que eu fizesse o mesmo e tentasse intuir o que ela estava pensando. Trancados na sala de ressonância, *pas de deux*, olhando nos olhos um do outro, tive a forte sensação de que estávamos comunicando diretamente nossas intenções um com o outro. A ativação do caudado de Callie foi apenas a primeira evidência de que minhas intenções haviam sido recebidas e compreendidas em seu cérebro.

Cães, como seres humanos, só querem ser compreendidos. Para provar a existência de mentalização real, algum exame adicional precisaria ser feito, medindo a ativação cerebral em regiões fora do caudado.

Na verdade, Callie provou ser capaz de mais do que ler nossas intenções humanas. Ela indicava suas intenções. No jantar, ela ficou na frente da porta de vidro que levava da cozinha para a varanda dos fundos. Ela virou a cabeça e olhou para mim. Então, se virou de costas e olhou ansiosamente para fora. Me olhou de volta. *Vamos lá, eu quero ir lá fora.*

Ela não latiu. Ela não arranhou a porta. Callie comunicava claramente suas intenções com os olhos. Assim como os humanos.

Deixei-a sair e ela correu pela hera atrás de algum animal.

O comportamento de Callie pode parecer banal. Ela provavelmente fazia coisas assim desde que vivia conosco, mas eu nunca tinha tido razão para prestar muita atenção nessas *nuances* de seu comportamento até agora. Mas com os resultados do Dog Project, agora se tornou uma questão de interpretação científica. Ou ela era uma máquina de aprendizagem pavloviana – ótima em fazer associações entre eventos, mas sem interpretá-los –, ou Callie era um ser sensível que compreendia, em algum nível, o que eu pensava, e retribuía comunicando seus pensamentos dentro de seu repertório comportamental.

Eu suspeitava da última opção, mas a prova ainda estava escondida nos dados da RM funcional.

Callie desistiu do que estava caçando. Há muito tempo, ela aprendera rapidamente a abrir as travas das portas. Se foi por sorte ou por observar os humanos, não sei, mas agora ela corria a toda velocidade e pulava para abrir a porta da varanda, calculando o salto para acertar a maçaneta. Ela apareceu na cozinha com uma explosão de energia.

Imediatamente ela foi até Helen e apoiou a cabeça em sua coxa.

"Veja", disse Helen. "Ela está fazendo o comando 'toque'."

"Ela está te dizendo alguma coisa", eu disse.

"Ela quer comida?" "Sim."

Helen riu e deu a Callie algo de seu prato. Não sei quem ficou mais satisfeito: Helen, por entender a intenção de Callie, ou Callie, por Helen fazer o que ela queria.

"Eu também tenho boas notícias", disse Helen.

"Sério?"

Helen fez uma pausa dramática.

"Vamos lá", disse Kat. "Não nos mate de curiosidade."

"Tirei um A no meu teste de ciências."

"Viva!"

"Isso é incrível", eu disse. "Estou muito orgulhoso de você. Você teve que trabalhar muito para conseguir isso."

Helen sorriu.

Às vezes, matar aulas realmente vale a pena.

20

Será que o meu cão me ama?

A primeira fase do Dog Project estava terminando. Callie tinha ido ao *scanner* quatro vezes, e McKenzie, três. Provamos que os cães podiam ficar parados o suficiente para obter imagens de alta qualidade de seus cérebros. E ainda mais impressionante, mostramos que os sistemas de recompensa de seus cérebros foram ativados em resposta aos sinais manuais corretos. Terminamos o primeiro artigo científico e enviamos para publicação, o que significa que tivemos algum tempo para refletir sobre os achados e sobre o que queríamos fazer a seguir. Até onde sabíamos, tínhamos os únicos dois cães do mundo treinados para entrar em um *scanner* de ressonância magnética, e provamos que a ideia maluca não era tão maluca assim.[30]

A excitação no laboratório era eletrizante. Eu estava examinando cérebros humanos desde que a fMRI fora descoberta, mas nada em minha carreira era comparável a essa intensidade. Mesmo o surgimento das imagens cerebrais não se comparava a isso. Como os cientistas já estudavam o cérebro humano de várias maneiras por mais de um século, já sabíamos muito sobre como ele funcionava. Com frequência, as imagens do cérebro tendem a confirmar o que já sabemos sobre o cérebro humano e raramente resultam em uma mudança radical em nossa compreensão da mente humana.

Mas com o Dog Project foi totalmente diferente.

Eu me senti como Cristóvão Colombo descobrindo o Novo Mundo. O cérebro do cachorro era um grande continente inexplorado. Não fazíamos ideia de como ele funcionava, mas tínhamos as ferramentas para descobrir e dois pacientes prontos para serem analisados. Só precisávamos pisar em terreno desconhecido e começar a exploração.

O protetor de tela no computador de Lisa exibia uma montagem com as fotos de Sheriff. Sheriff tinha quase dois anos de idade. Lisa adotou-o ainda filhote, quando se formou em Emory e começou a trabalhar no laboratório. Ele foi o primeiro cão que realmente pôde chamar de seu, e ela o adorava.

"Você realmente ama Sheriff, não é?", eu comentei.

"É claro", Lisa respondeu, "e ele também me ama."

Gavin, que divertidamente observava, não conseguiu resistir e provocou Lisa a respeito.

"Isso depende do que você quer dizer com amor."

Lisa, sempre pragmática, respondeu: "Amor? Eu diria que é uma co-dependência". Ela estava falando sério. "Olha, eu acho que o melhor que você pode esperar dos humanos é eventualmente ter um relacionamento em que as duas pessoas sejam mutuamente dependentes umas das outras. O que haveria de errado nisso?"

Ela pegou Gavin desprevenido, e ele não teve resposta. Lisa continuou. "Então, e se o amor de Sheriff por mim for baseado em comida e carinho na barriga? Ele retribui com carinho e companheirismo. Se a maioria das relações humanas fosse assim tão simples, as pessoas seriam mais felizes."

"E se pudéssemos provar que o Sheriff amava você?", perguntei.

"Você diz além da comida e do carinho na barriga?"

Gavin revirou os olhos e disse: "Isso é impossível".

Andrew, que se absteve de entrar no debate sobre o amor, estava olhando atentamente para a tela do computador.

"Dê uma olhada."

Na tela, estava a imagem estrutural do cérebro de Callie. Eu já tinha visto essa imagem uma centena de vezes e a conhecia melhor do que o meu próprio cérebro. Havia um mapa de ativação sobreposto à imagem. Passamos semanas observando imagens como essa e eu me acostumei a ver as regiões vermelhas, alaranjadas e amarelas sobrepostas no núcleo caudado – o centro do sistema de recompensa. Mas essa imagem era diferente.

Andrew distorcera digitalmente o cérebro de McKenzie para comparar com o de Callie. Esse é um passo normal na análise de dados na RM funcional humana. Quando coletamos dados com muitos pacientes, precisamos comparar a ativação no cérebro de todos. Mas como o cérebro de cada pessoa é fisicamente diferente, usamos um método digital que iguala a forma e o tamanho de todos os cérebros. Isso permite que os cientistas calculem a média dos padrões de ativação de muitos indivíduos e determinem similaridades na função cerebral.

Nos seres humanos, o tamanho do cérebro tende a variar em apenas um ou dois por cento. Algumas pessoas têm cabeças redondas, enquanto outras são mais ovais. Ainda assim, a anatomia básica é praticamente a mesma, e precisamos esticar e torcer o cérebro só um pouquinho para fazer com que todos fiquem semelhantes.

Com os cães é diferente. De todas as espécies do planeta, os cães apresentam as maiores variações de tamanho. Que outras espécies podem variar em tamanho de um *chihuahua* de 1,8 kg a um dogue alemão de 68 kg e ainda assim ser considerado o mesmo animal? Como é de se esperar, os tamanhos de seus cérebros têm uma variação similarmente grande.

Quando começamos a analisar os dados do Dog Project, tratamos Callie e McKenzie separadamente. McKenzie era cerca de 50% maior que Callie, então sabíamos que seus cérebros seriam diferentes. Essa grande variação de tamanho nos fez achar que os algoritmos de computador habituais não funcionariam, por isso, nem tentamos combinar digitalmente seus cérebros.

Até agora.

Ao identificar cuidadosamente os marcos-chave no cérebro dos cães, Andrew conseguira fazer o alinhamento. Depois de alinhados, foi possível realizar uma análise no conjunto de dados combinados. Dizem que duas cabeças pensam melhor que uma, e, nesse caso, era absolutamente verdade. Embora tanto Callie quanto McKenzie tivessem superado nossas expectativas, ainda tinham suas limitações. Cada uma ficou na RM durante dez minutos de varredura contínua. Por fim, o barulho e o confinamento foram desgastantes, e elas se cansaram da tarefa. No final das contas, Callie passou por quase quarenta repetições da tarefa, e McKenzie, por cerca de trinta. Isso foi bom o suficiente para provar a viabilidade da RM canina. Mas para dar o passo seguinte e realmente começar a descobrir como o cérebro do cão funciona, precisávamos de muito mais repetições e, idealmente, de muito mais cães. Combinar os resultados de Callie e McKenzie foi um primeiro passo nessa direção.

Mais observações significaram mais possibilidades de detectar sinais fracos no cérebro. Ao mesclar os conjuntos de dados dos dois cães, estávamos olhando agora para um resultado na tela do computador que não tínhamos visto olhando os cães individualmente.

Andrew apontou para uma área de ativação na lateral do cérebro. Essa região era cerca de um centímetro mais alta que o sistema de recompensas e ficava no meio do córtex. Como os pontos de referência habituais do cérebro humano não se aplicavam, ficamos imaginando para que parte do cérebro canino estávamos olhando.

Usando como referência um atlas da anatomia do cérebro canino, perguntei: "Isso é o córtex motor?".

Andrew deu de ombros e disse: "Está no meio do córtex, onde seria o sulco central humano".

Mas os cães não estavam se movendo em nosso experimento. Por que haveria atividade na área motora?

"Neurônios-espelho", eu disse.

Os neurônios-espelho são um tipo específico de neurônio no cérebro que se ativam quando um animal inicia um movimento e quando observa o mesmo tipo de movimento em outro animal. Eles foram originalmente descobertos no início dos anos 90 por pesquisadores que analisaram o cérebro de macacos. Os cientistas estavam interessados em entender o funcionamento do sistema motor, especialmente quando o macaco decidia alcançar um objeto. Eles implantaram eletrodos para registrar a partir da área do cérebro bem na frente do sulco central, chamada de área pré-motora. Esses neurônios, de fato, começaram a disparar pouco antes de o macaco mover sua mão. Porém, por acidente, os cientistas também notaram que esses neurônios dispararam quando os pesquisadores se aproximaram da gaiola para substituir o objeto que o macaco estava tentando pegar, mesmo que o macaco não estivesse se movendo naquele momento. Eles foram apelidados de neurônios-espelho porque pareciam espelhar tanto a observação quanto a ação. Eram ativados quando o animal iniciava um ato motor, bem como quando alguém executava uma ação semelhante, e não parecia importar se quem alcançava o objeto era um macaco ou uma mão humana.[31]

Não demorou muito para que os pesquisadores começassem a procurar por neurônios-espelho em humanos. Usando RM funcional, vários experimentos encontraram evidências do mesmo mecanismo operando na área pré-motora do cérebro humano, bem como em várias outras áreas. Em vez de controlar o movimento de uma parte específica do corpo, esses neurônios-espelho pareciam controlar os objetivos da ação. Por exemplo, um lançador de beisebol tenta jogar a bola na zona de ataque. Os neurônios-espelho no cérebro de um lançador não controlam diretamente os músculos do braço. Em vez disso, eles agem como um sistema de orientação para que todos os músculos do corpo atuem juntos para alcançar o objetivo final de lançar a bola de beisebol na luva do receptor, no local desejado. E se um lançador observasse outra pessoa fazendo a mesma coisa, seus neurônios-espelho dispararíam enquanto ele observava – como se seu cérebro estivesse simulando o ato de arremessar.

O interesse pelos neurônios-espelho continua crescente. Em um nível científico básico, esses neurônios parecem ter um papel fundamental na ligação da produção da ação com a observação da ação, permitindo que os animais compreendam as ações de outros membros de sua espécie a partir de sua própria perspectiva. Muitos pesquisadores sugeriram que os neurônios-espelho são a base da empatia. Se isso se mostrar verdadeiro, então, os neurônios-espelho nos permitem não apenas simular as ações uns dos outros por dentro, mas também sentir o que outra pessoa sente.

O papel que os neurônios-espelho desempenham no sentimento de empatia continua a ser debatido, mas as evidências sugerem que o caminho para a empatia passa pelo ato da imitação. Os humanos, em particular, têm uma inata tendência para imitar uns aos outros. Quando alguém sorri para nós, não podemos deixar de sorrir também. Esse tipo de imitação parece estar presente desde o nascimento. As crianças sorriem em resposta a adultos que sorriem para elas e também iniciam sorrisos para receber a mesma resposta de seus pais. O sistema de neurônios-espelho, ao servir como elo entre a observação e a ação, pode controlar esse tipo de comportamento imitativo.[32]

É pela imitação que começamos a sentir o que outra pessoa sente. Diversas experiências mostraram que quanto mais as pessoas imitam umas às outras, mais empáticas elas se tornam. Embora não esteja comprovado que os neurônios-espelho são a base da empatia, parece claro que eles desempenham um papel importante nos precursores da empatia. Sem o sistema de neurônios-espelho, seria improvável que as pessoas sentissem qualquer empatia.

Além do estudo feito com macacos que observam os humanos buscarem coisas, ninguém mais demonstrou a atividade de neurônios-espelho entre espécies. Mesmo entre os macacos, a mão humana parece muito com a mão de macaco. Ambos têm quatro dedos e um polegar opositor.

Mas cães não têm polegares. Eles nem sequer têm mãos.

No entanto, os córtices motores de Callie e McKenzie estavam se ativando em resposta aos sinais de nossas mãos. Elas não estavam se movendo, então, talvez isso representasse a atividade dos neurônios-espelho. Mas isso seria bem mais complexo do que macacos observando mãos humanas. Se a atividade que encontramos fosse de neurônios-espelho, significaria que os cães estavam realizando algum tipo de mapeamento de ação entre uma mão humana e suas patas dianteiras. Minha mente começou a girar com as implicações.

Os cães andam nas patas dianteiras.

Mas também usam as patas da frente para fazer outras coisas. Eles cavam. Eles empurram portas abertas. Eles roubam comida do balcão. E seguram brinquedos e ossos com suas patas dianteiras. Talvez não fosse tão improvável que, enquanto Callie e McKenzie observavam nossas mãos, seus cérebros estivessem, de alguma forma, simulando ações com suas próprias patas. Seria uma maneira de seus cérebros traduzirem a ação humana em ações equivalentes.

Isso significaria que, quando os cães nos veem correndo, os neurônios que controlavam o funcionamento de seus cérebros começariam a disparar. Significaria que, quando comemos, os neurônios de suas bocas ficariam malucos. Eu sabia que isso era uma verdade absoluta. Quantas vezes eu vi Callie lambendo os lábios quando coloquei um pedaço de comida em minha boca? Era como se ela pudesse prová-lo.

Se os cães tivessem neurônios-espelho que respondiam à ação humana, os humanos tinham neurônios que respondiam à ação dos cães? Surpreendentemente, sim. Em 2010, um estudo de imagens de RM funcional revelou que, quando pessoas assistiam a filmes mudos de um cachorro latindo, as partes do cérebro humano que respondiam ao som eram ativadas, mesmo que não houvesse som real. Era como se os humanos preenchessem o som de um cachorro latindo, apenas por meio da observação.[33]

Mas ver esse tipo de atividade dos neurônios-espelho em Callie e McKenzie significava que toda a relação cão–humano não era apenas balela. Se cães tivessem a capacidade de transformar as ações humanas em seus próprios equivalentes caninos, então, talvez eles realmente sentissem o que sentíamos. Pelo menos uma versão canina daquele sentimento.

A atividade do núcleo caudado era a prova de que poderíamos detectar e interpretar a atividade no cérebro dos cães. Ela provou que Callie e McKenzie entendiam os sinais da mão para algo de que gostavam – cachorro-quente. Mas a atividade do córtex motor sugeria que elas eram mais que máquinas de aprendizado pavlovianas. Se, como suspeitávamos, a atividade do córtex se devia à atividade dos neurônios-espelho, essa era a primeira evidência de que os cães poderiam estar realizando algum tipo de mentalização. Elas estavam interpretando sinais de mão e possivelmente até mapeando nossas mãos em suas patas.

Era uma evidência tentadora para uma teoria canina da mente.

Naquela noite, eu estava sentado no sofá e Callie fazia sua patrulha habitual na casa e no quintal. Kat e eu tínhamos deixado a porta da cozinha entreaberta, apesar dos mosquitos que entravam na casa – era mais fácil do que levantar toda hora para deixar Callie entrar e sair. Ao longe, eu podia ouvir coiotes uivando, o que normalmente fazia Callie latir freneticamente.

Mas não nessa noite.

Depois de alguns giros pelo pátio, ela entrou e pulou no meu colo. Isso era incomum, porque ela nunca foi um cão de colo. Na maior parte do tempo, aninhava-se com Lyra, aparentemente preferindo o contato de sua própria espécie. Mas nessa noite ela se aninhou entre as minhas pernas e colocou a cabeça na minha coxa. E fiquei grato pelo contato humano-cão.

Acariciei sua cabeça suavemente. Eu amava o jeito como o pelo preto dela escorria na planura de seu crânio. Seus olhos começaram a se estreitar enquanto ela adormecia.

Ela sentiu o que eu estava sentindo? Ela poderia ter escolhido qualquer lugar da casa para dormir naquele momento, mas, por algum motivo, escolheu meu colo. Não era por comida. Não era por calor – Lyra fornecia mais calor do que eu. Tinha que ser por querer contato com um humano. Eu. O mesmo desejo que tive por contato com um cachorro. Ela.

Callie caiu no sono. Logo pude sentir suas pernas contraindo quando ela começou a sonhar. Ponderei a possibilidade de usar uma RM funcional para ver o que estava acontecendo em seu cérebro enquanto ela sonhava.

Meu devaneio foi interrompido pelo som de sua cauda batendo no sofá. Ela ainda estava sonhando.

Talvez ela estivesse sonhando em acabar com um daqueles coiotes. Ou quem sabe caçar um saboroso roedor no quintal. Ou talvez fosse apenas a felicidade de estar ali, no meu colo.

E se isso não fosse amor, então, eu certamente o aceitaria como um fac-símile razoável.

21

Que cheiro é esse?

Os resultados do experimento com cachorro-quente me fizeram imaginar o que os cães pensavam de nós, seres humanos. Parecia que havia algo mais ali do que simplesmente o amor pelo cachorro-quente. A cada viagem para a ressonância magnética, Callie ficava mais animada. Na sessão de varredura final, ela foi direto subir os degraus até a mesa do paciente. Ela entrava no *scanner* antes mesmo de termos seu descanso de queixo no lugar. Seu olhar dizia: *Estou pronta, vamos!* Ela gostava de interagir com todas as pessoas e, como todos concordavam, gostava de se exibir. Ela se tornou uma diva.

Callie também se acostumou com McKenzie. Se eu tivesse que caracterizar o relacionamento entre elas, eu diria que era uma coexistência mútua não ameaçadora. Usávamos o laboratório como nossa área de preparo antes de sair pelo *campus* até a sala de ressonância magnética. Callie e McKenzie se cumprimentavam no laboratório com uma cheirada no traseiro e um abanar de caudas. Normalmente seria assim, pois ambas preferiam investigar os humanos na sala. Porém, uma vez no *scanner*, Callie começava a ficar mais animada. Se fosse a vez de McKenzie entrar na ressonância magnética, Callie subiria na mesa dos pacientes e tentaria entrar antes de McKenzie. Callie precisava ser levada da mesa e mantida na sala de controle enquanto Melissa e McKenzie se posicionavam.

Achei esse comportamento fascinante. Ficou claro que os cães se tratavam diferentemente do modo como tratavam a nós, humanos, apesar da noção popular de que nós humanos somos uma "matilha" para os cães – uma espécie de família canina estendida.

Esse comportamento me deu uma ideia para outro experimento de RM.

Como os cães categorizam os humanos? Ou os cães têm categorias separadas para cães e humanos, ou eles nos juntam como matilha ou não matilha.

Aos meus olhos, Callie e Lyra se comportavam como companheiras de matilha. Elas comiam, dormiam e brincavam juntas. Isso não era diferente do que nós, humanos da casa, fazíamos com elas. E, embora as víssemos como membros da família, seria bom saber se elas também nos viam dessa maneira. Como Callie e Lyra não eram parentes e, obviamente, não tinham nenhum parentesco com humanos, a noção de matilha teria que ser o que os antropólogos chamam de *parente fictício*.

Os seres humanos são especialistas em considerar amigos como se fossem da família, especialmente se passaram por uma experiência intensa juntos. É por isso que os soldados chamam um ao outro de "irmão". Se pessoas fazem isso, talvez cachorros também o façam. Se os cães veem seus humanos como parte de sua matilha – uma espécie de família estendida –, então, ver cães e humanos deve resultar em uma ativação semelhante no cérebro dos cães.

Então, o que pode distinguir humanos e cães – pelo menos na mente do cão? Além da aparência, a diferença mais óbvia é o cheiro. Quando dois cães se aproximam, há uma avaliação visual da linguagem corporal, por exemplo, em qual posição está a cauda do outro cão, e assim decidem se tentarão uma aproximação. Em caso positivo, eles cheirarão um ao outro. Acontece algo semelhante quando os cães veem humanos. Após uma avaliação visual, um cão geralmente se aproxima e sente o cheiro da pessoa.

O olfato de um cão é cerca de cem mil vezes mais sensível do que o humano. Cães também têm uma estrutura adicional, um tubo cheio de fluido chamado de órgão vomeronasal (OVN), que se acredita ser responsável por detectar odores de outros cães e que atua, portanto, como uma forma de sinalização social.[34]

Com um olfato tão poderoso, certamente grande parte do cérebro canino é dedicada ao processamento de cheiros. Mesmo assim, ainda fiquei espantado quando recebemos as primeiras imagens cerebrais de Callie e McKenzie. Onde normalmente veríamos um grande lóbulo frontal em humanos, os cães não tinham quase nada. Em vez disso, estendendo-se em direção ao focinho, havia uma enorme protuberância fálica – o bulbo olfativo. Um foguete pronto para ser lançado. Humanos não têm nada disso. Esse órgão ocupava cerca de 10% do cérebro do cão.

Geralmente pensamos no olfato como um dos cinco sentidos, e geralmente de funcionamento passivo. Os odores chegam aos nossos narizes, os receptores os detectam e enviam sinais para nossos cérebros. No entanto, assim como a visão ou a audição, o olfato é um processo ativo que envolve muitos grupos musculares. Os animais podem controlar a taxa em que os odores entram no nariz pela maneira como farejam. Farejar gera movimentos musculares no rosto e no nariz; requer movimentos do diafragma para controlar a taxa de movimentação do ar; e há provavelmente algum controle sobre os pelos finos que existem dentro do nariz. Isso significa que, para o olfato em particular, também esperamos ver o envolvimento de partes do cérebro que controlam o movimento.[35]

Se o cheiro de um cão ativasse o cérebro no mesmo padrão que o cheiro de um humano, significaria que os cães nos colocaram na mesma categoria que eles. Se, por outro lado, odores de cães e humanos causassem diferentes padrões de ativação, saberíamos que os cães têm categorias diferentes para nós e para eles.

Como no experimento do cachorro-quente, os cachorros não precisariam fazer nada além de manter a cabeça quieta, e eles já eram profissionais nisso. Seguraríamos cotonetes na frente dos cachorros e deixaríamos o cheiro entrar por suas narinas. Mais tarde, poderíamos analisar os dados da ressonância magnética funcional e ver quais partes de seus cérebros reagiram a diferentes aromas.

Esse experimento apresentava certas complicações logísticas. Onde conseguiríamos os cheiros e como os conseguiríamos? Essas perguntas se tornaram o tópico de um debate acalorado no laboratório, especialmente quando ficou claro que todos teriam que ajudar na causa.

"Então, deixe-me ver se entendi", disse Andrew. "Vamos apresentar cheiros de cães e de humanos para Callie e McKenzie."

"Isso mesmo", eu disse.

"Que tipo de aromas?"

"Bem", eu disse, "todos sabemos o que os cães fazem quando se cumprimentam."

Andrew não gostou do rumo dessa conversa. "Você está sugerindo limpar um traseiro?"

"Não acho que tenha outro jeito."

Lisa entrou na conversa e ofereceu uma alternativa: "Cachorros transpiram pelas patas. Você poderia obter os cheiros de lá".

"Mas assim também pegaremos os cheiros dos locais onde os cachorros estiveram", eu disse. "Além disso, os cães vão direto para os traseiros. Até onde sabemos, é aí que as coisas boas estão."

"Estamos falando de um papel higiênico ou de algo mais substancial?", Andrew perguntou.

Isso era uma boa pergunta. Um esfregão da área perianal provavelmente seria suficiente, mas havia boas evidências de que a urina seria um sinal mais poderoso. Os cães são capazes de diferenciar suas próprias marcas de urina das de outros cães, sugerindo que a urina do cão contém feromônios únicos que são equivalentes a impressões digitais caninas.[36]

"Acho que precisamos de urina", eu disse.

"E os humanos?", Andrew perguntou.

"Se você está fazendo isso pelos cães", Lisa disse, "eu acho que você deveria fazer isso pelos humanos."

Andrew e eu olhamos para ela espantados.

"O quê?", disse ela. "A primeira coisa que o Sheriff faz é enfiar o nariz na virilha das pessoas."

Embora Lisa tivesse razão, havia alguns limites que não poderíamos cruzar. Além disso, o que ela estava sugerindo poderia ser interpretado pelos advogados da universidade como resíduos de risco biológico.

"Que tal uma amostra de suor dos humanos?", eu sugeri. "Desde que não usem desodorante, poderíamos fazer as pessoas se exercitarem e limparem as axilas com uma gaze."

Houve relutância em concordar com esse plano, que imediatamente levantou a questão de quem seriam os "doadores" caninos e humanos.

A questão matilha *versus* não matilha tornou-se uma questão familiar. Para o nariz de Callie, todos os aromas da casa eram familiares: eu, Kat,

Helen, Maddy, Lyra e até mesmo o próprio cheiro de Callie. Essa era sua matilha canina-humana. Melissa e eu já estaríamos no *scanner*, e nossos odores iriam penetrar no ambiente, estabelecendo um pano de fundo no qual outros odores poderiam ser medidos. Idealmente, precisaríamos dos odores de outras pessoas em nossas casas para servir como o "humano familiar". Teria de ser o suor de Kat para Callie e o marido de Melissa para McKenzie.

Também precisaríamos de uma comparação para cheiros de fora da "matilha" ou desconhecidos. Seriam necessários aromas de cães estranhos e de humanos estranhos. Desenhamos um gráfico na parede do laboratório e listamos todos os humanos do laboratório, juntamente com seus cães, e analisamos se eles já tinham conhecido Callie ou McKenzie. A esquimó americana de Andrew, Mochi, nunca tinha vindo ao laboratório. Ela rapidamente emergiu como a principal candidata a "cachorro estranho". Além disso, ela urinava toda vez que ficava animada, e Andrew não teria problemas em pegar uma amostra de urina. Como Callie e McKenzie haviam conhecido todos os humanos do laboratório, ainda precisávamos de alguns "humanos estranhos". Tivemos uma discussão considerável sobre a logística do suor fresco no dia da varredura, bem como a possibilidade de que os cães já tivessem sido expostos ao cheiro de cônjuges, namoradas e namorados, inadvertidamente, como perfumes trazidos em membros do laboratório ou, como dizem os policiais, "em sua pessoa".

No final, convenci uma vizinha a doar seu suor para ser a "mulher estranha" como uma amostra de controle para o suor de Kat. O treinador de *kickboxing* de Kat concordou em doar seu suor para ser a amostra de controle do "macho estranho" para o marido de Melissa.

O tempo era crucial. Tudo dependia de obter amostras o mais frescas possível. Para os cães, isso significava xixi matinal, que, nós pensamos, seria o mais concentrado do dia. Para os humanos, era preciso uma boa dose de suor, o suficiente para escorrer de suas axilas. Cada um dos doadores humanos foi instruído a não tomar banho ou usar desodorante durante as 24 horas anteriores à coleta da amostra. Todos receberam compressas de gaze esterilizadas, luvas e uma bolsa para colocar a amostra.

Como de costume, o *scanner* foi reservado para as 13h. Precisávamos de todas as amostras no laboratório ao meio-dia para que Andrew, que se ofereceu para o trabalho com as gazes de xixi, pudesse prepará-las para o experimento. Ele teria que cortar as gazes em tiras com tesouras esterilizadas e cuidadosamente prender cada amostra a um cotonete de quinze centímetros de comprimento. Cada cotonete seria numericamente codificado. Dessa forma, nem Melissa nem eu saberíamos a identidade das amostras, para que não influenciássemos os cães durante o experimento. Apenas Andrew saberia o código.

Naquela manhã, Kat e eu levamos Callie e Lyra para passear. Eu segui os cachorros, parecendo um investigador de cenas criminosas, usando luvas cirúrgicas e carregando sacos de amostras. Callie adorava fazer xixi nas caminhadas. Assim que sentia o cheiro do que presumi ser outro cachorro, ela agachava e derramava um pouco de urina. No entanto, ela tinha uma maneira peculiar de fazer isso. Seu traseiro jamais fazia contato com o chão. Em vez disso, ela ficava suspensa e continuava andando, similar ao gingado de um pato. Callie nunca deixou manchas de xixi. Ela deixava *trilhas* de xixi.

Seus hábitos de micção facilitavam a coleta de amostras. Enquanto Callie rastreava alguma coisa, ela farejava intensamente um local no gramado do vizinho. Eu sabia que ela estava prestes a fazer xixi e tinha a gaze para o xixi pronta. Assim que ela se agachou, enfiei a gaze logo abaixo de suas partes íntimas e fui recompensado com uma mancha quente e amarela. Callie olhou por cima do ombro para mim. *Ei! O que você está fazendo aí atrás?*

Lyra foi mais difícil. O pelo denso, manchado e emaranhado em torno de seu traseiro fazia com que este aparecesse menos claramente do que em Callie. Além disso, Lyra fazia xixi de forma mais convencional para uma cadela: costas retas, bumbum em contato com o chão. O melhor que pude fazer foi limpar seu traseiro logo depois que ela fez xixi. Já era o suficiente.

Pobre Andrew. Tivemos que trancá-lo em um armário enquanto ele cortava todas as amostras. Não podíamos deixar os cachorros sentirem todos aqueles cheiros antes do experimento. Depois de uma hora cortando gazes de urina e suor, Andrew apareceu.

"Você está bem?", perguntei.

Ele me dispensou. "Eu só preciso de um pouco de ar."

A essa altura, a empolgação com o desfilar dos cachorros do outro lado do pátio até o hospital tinha acabado, e apenas os membros do laboratório que realmente tinham um trabalho a fazer no Dog Project nos acompanhavam, embora eu ainda sentisse emoção durante a caminhada.

Como uma máquina bem lubrificada, todos assumiram suas posições no *scanner*. Melissa e McKenzie estavam lá, é claro, e relaxavam na sala de controle até que chegasse sua vez. Andrew montou uma prateleira de tubos de ensaio em uma mesa de plástico na parte traseira do ímã. Ele inseriu os cotonetes com as amostras viradas para baixo no final de cada tubo.

Para cada cão, Andrew preparou sete cotonetes: as quatro combinações de humanos e cães estranhos e familiares, além de uma categoria intermediária de "conhecidos". Callie e McKenzie eram conhecidas. Elas se conheciam, mas não havia razão para esperar que se vissem como parte de sua matilha. Seus cheiros seriam apresentados uma a outra, dentro dessa categoria. Assim, teríamos uma sequência de familiaridade, partindo de "estranho", depois "conhecido" e, por fim, um membro da família. Usando o suor dos membros do laboratório, criamos os "conhecidos" do grupo humano. Por último, para os parâmetros de base, usamos a própria urina dos cães como uma categoria "própria".

Com Callie no *scanner*, a sequência calibragem e localização levou menos de um minuto. Ela conhecia a rotina. Para as varreduras funcionais, modificamos o experimento do cachorro-quente. Em vez de segurar um sinal de mão por dez ou quinze segundos, Andrew me entregava um cotonete e eu o segurava na frente do nariz de Callie por alguns segundos. Ela ainda continuaria parada para dar tempo suficiente para que a resposta hemodinâmica atingisse o pico, e então, eu a recompensaria com um cachorro-quente. Era exatamente como antes, com exceção do cheiro inserido no meio da repetição.

Para acostumá-la a um cotonete sendo empurrado na frente de seu rosto, Callie e eu tínhamos praticado em casa. Nas primeiras vezes ela recuou, mas logo percebeu que nada de ruim iria acontecer e apenas farejou.

Com as varreduras funcionais em andamento, Callie se comportou perfeitamente. Cada cotonete foi apresentado oito vezes em ordem aleatória. Foram necessárias duas varreduras funcionais com duração de seis minutos cada, e então terminamos. Mais quatrocentas imagens na tela.

McKenzie, por outro lado, não estava tendo um bom dia. Ela não gostou dos cheiros ou dos cotonetes que vinham em sua direção. Da sala de controle, pude ver que suas imagens cerebrais estavam se movendo. Apesar de termos adquirido quase quinhentas imagens, a maioria era inutilizável. Ela teria que voltar outro dia após treinar mais com os cotonetes.[37]

Como fizemos no experimento do cachorro-quente, Andrew e eu analisamos os dados individualmente para os dois cães, além de combinar seus cérebros. Ambas as análises produziram resultados surpreendentes. Quando combinamos seus cérebros, pudemos identificar as partes cerebrais que reagiram aos diferentes cheiros nos dois cães. Isso nos revelou as regiões de ativação em comum. Em contraste, as análises individuais indicaram como os cães reagiram de forma diferente. Privilegiamos duas comparações.

Primeiro, comparamos a atividade cerebral com cheiros caninos e com cheiros humanos. Fizemos essa comparação desconsiderando se o cheiro era familiar ou estranho. Simplesmente calculamos a média de todos os cheiros caninos juntos e de todos os cheiros humanos juntos e comparamos os dois padrões cerebrais. A primeira descoberta foi que os cheiros caninos ativaram fortemente o bulbo olfativo e o córtex frontal acima dele. Suspeito que isso se deva ao fato de que a urina do cão é um estímulo mais potente do que o suor humano.

Quando comparamos os cheiros familiares aos cheiros estranhos, desconsiderando se pertenciam a um cão ou um humano, mais uma vez, encontramos maior ativação das regiões olfativas com cheiros estranhos. Isso demonstrou que a ativação olfativa é controlada não apenas pela potência do cheiro, mas também por sua familiaridade. Cheiros familiares não exigem muito processamento cerebral. Cheiros estranhos, sim. Corroborando essa interpretação, a urina própria dos cães não evocou nenhuma atividade cerebral detectável. Assim como os humanos não estão cientes do cheiro de seu próprio hálito, os cães parecem ignorar o cheiro do próprio xixi.

Estranhamente, também observamos que os cheiros estranhos estimularam uma forte ativação no cerebelo, uma parte do cérebro geralmente associada ao movimento. Quando estava apresentando os cotonetes a Callie, algumas vezes ela os cheirava com mais intensidade. A ativação do cerebelo foi provavelmente a origem neural do ato de farejar, que era mais intenso com os cheiros desconhecidos.

A descoberta mais interessante apareceu quando subdividimos os cheiros em caninos e humanos em subcategorias de familiares e não familiares. Um, e apenas um, tipo de cheiro ativava o núcleo caudado: *um humano familiar*. Isso era especialmente verdadeiro para Callie. No caso dela, o humano familiar era Kat.

O suor de Kat ativou o caudado de Callie – como no sinal para cachorros-quentes. Mas Kat nem estava no *scanner*, ou seja, Callie havia identificado o cheiro como Kat, embora ela não estivesse presente fisicamente. Se Callie tinha uma categoria mental para Kat que não exigia sua presença física, então isso sugeria que Callie tinha um senso de permanência em relação às pessoas de sua casa. Ela sabia quem era sua família e se lembrava deles. Encontramos mais evidências para essa interpretação em uma área chamada lóbulo temporal inferior. Essa parte do cérebro está intimamente associada à função da memória, e, como o caudado, o lóbulo temporal inferior foi fortemente ativado pelo cheiro de um humano familiar.

A ativação do lóbulo temporal inferior nos mostrou que os cães se lembravam de sua família humana, e a ativação caudada, mais proeminente em Callie, nos dizia que sua lembrança de Kat era positiva. Poderia ser saudade? Ou amor? Parecia totalmente possível. Esses padrões de ativação cerebral pareciam muito semelhantes aos observados em humanos quando lhes são mostradas fotos de pessoas amadas.[38]

Os resultados do experimento do olfato expandiram nossa compreensão do mundo mental dos cães. Durante todo o Dog Project, nos concentramos na natureza do relacionamento entre cães e humanos. Nós amamos os cães, mas o que eles pensam de nós? Mesmo com apenas dois cachorros, uma imagem começava a surgir. O padrão de ativações no córtex sugeria que eles criaram modelos mentais do nosso comportamento, o que pode ter origem na atividade dos neurônios-espelho. Mas, independentemente do mecanismo, os dados do experimento olfativo mostraram que seus modelos mentais incluíam a identidade de pessoas importantes em suas vidas que persistem mesmo quando não estão fisicamente presentes.

Eu estava disposto a aceitar isso como uma demonstração aceitável de amor de Callie. Mas mesmo se eu estivesse sendo muito generoso, o fato de os cães saberem quem somos, e que eles têm categorias para nós, indicava que causamos uma impressão duradoura em nossos cães. Nós somos queridos por eles.

22

Primeiro amigo

Quando começamos o Dog Project, não tínhamos a menor ideia do que iríamos encontrar. O que começou como uma ideia capenga de escanear cérebros de cães se transformou em um programa de pesquisa sério mais rápido do que eu esperava. Mesmo usando apenas cachorros-quentes e odores, havíamos encontrado evidências de que os cães mentalizavam os seres humanos de suas vidas. Suponho que isso não deve ter sido algo surpreendente. Muitos donos de cães estão convencidos de que os cães sabem quem eles são e retribuem seu amor por eles. Mas, pela primeira vez, obtivemos evidências diretas de reciprocidade no relacionamento cão–humano e de cognição social no cérebro canino.

Isso foi realmente emocionante, mas, pelo bem da objetividade científica, foi preciso evitar generalizações a partir de nossos experimentos. A Organização Mundial da Saúde estima que a população canina corresponde a cerca de 10% da população humana. Isso se traduz em aproximadamente setecentos milhões de cães em todo mundo. Nós estudamos os cérebros de precisamente dois deles. Embora tenhamos expandido os membros do Dog Project desde nossos experimentos iniciais, ainda estávamos com um grupo muito seleto de cães. Trata-se de cães amados por seus humanos. Mas mesmo isso não é suficiente. A maioria dos cães não está disposta a fazer uma ressonância magnética, e a maioria das pessoas não está disposta a treiná-los para isso. Isso ainda deixa setecentos milhões de cães do mundo. O que nossos experimentos nos dizem sobre esses cães e seus relacionamentos com humanos?

De uma perspectiva evolutiva, cães são incrivelmente bem-sucedidos. Seus números falam por si. Como cães compartilham seu nicho ambiental com os seres humanos, seu sucesso evolutivo é resultado de sua capacidade de aprender a ler os nossos sinais. Ler não apenas o comportamento humano, mas também nossas intenções, o que significa que eles têm uma teoria da mente para os humanos. E isso é exatamente o que encontramos no Dog Project. Embora Callie e McKenzie fossem apenas duas representantes da população mundial de cães, a análise de seus cérebros revelou uma característica definidora dos cães: o aprendizado social. Encontramos evidências de que elas se importavam com as intenções humanas.

A cognição social significa que os cães não são apenas máquinas de aprendizagem pavlovianas. Significa que são seres sencientes, e isso acarreta consequências para o relacionamento cão–humano.

A maioria dos cães no mundo são cães de rua. Eles não são animais de estimação de alguém, embora possam parecer assim à primeira vista, porque muitas vezes reúnem-se perto de seres humanos. As pessoas sabem quem são os cães, mas muitas vezes eles não têm nomes. Os cães de rua se infiltram na tessitura das sociedades humanas. Eles se alimentam de restos, de lixo, e às vezes de comida que é deliberadamente deixada por humanos para que eles comam. Em algumas partes do mundo, as pessoas os deixam por perto apenas para que possam comê-los mais tarde.[39]

Se Callie tivesse vivido em qualquer outro lugar do mundo, ela teria sido um cachorro de rua. Ela tinha aquela aparência esbelta – não muito grande, não muito pequena – e os olhos de uma oportunista. No primeiro ano em que morou em nossa casa, eu estava convencido de que ela fugiria na primeira oportunidade de uma situação melhor. Depois do Dog Project, contudo, eu não pensava mais nisso. O projeto havia mudado tanto seu cérebro quanto o meu.

De fato, se há uma coisa com a qual os etologistas podem concordar (e pode de fato ser apenas uma coisa), é que os cães são mestres em mudanças. Certamente, a característica que define os cães é a sua adaptabilidade. Além dos vermes, os cães são a única espécie que é encontrada em todos os lugares onde os humanos estão, e os humanos ocupam todos os nichos habitáveis do planeta. Como os etologistas Raymond e Lorna Coppinger observaram:

22. Primeiro amigo

"A rapidez com que o cão mudou de forma e as variedades aparentemente infinitas de sua forma desafiam a teoria da evolução de Darwin, segundo a qual a adaptação é um processo lento". Os Coppinger estavam se referindo principalmente à mudança na forma física dos cães, mas o mesmo pode ser dito sobre seu comportamento.[40]

Quando os cientistas falam de mudança comportamental, na verdade, estão falando sobre aprendizado. E, até onde sabemos, existem apenas dois mecanismos de aprendizagem empregados pelos animais: aprendizagem associativa e aprendizado social. Durante um século, os behavioristas pavlovianos defenderam a predominância da aprendizagem associativa. Animais, incluindo cachorros, são especialistas em aprender associações entre eventos neutros e coisas de que eles gostam, como comida, ou coisas de que eles não gostam, como dor. Mas a aprendizagem associativa não pode explicar todo o comportamento animal. Primeiramente, é ineficiente. Para um animal aprender associações, ele precisa experimentar os eventos. Trata-se de um processo de tentativa e erro. Por meio desse mecanismo de aprendizagem, um cachorro teria que tocar sua pata em um fogão quente para aprender que isso é algo a ser evitado.

A aprendizagem social é muito mais eficiente. Muitas espécies animais empregam o aprendizado social. As aves canoras, por exemplo, aprendem os cantos de sua espécie umas com as outras. Porém, além dos humanos, os cães parecem ser os melhores nisso. Ao observar outros cães, Fido pode aprender muito. Ele não precisa queimar a pata para saber que o fogão é perigoso se ele vir outro cachorro (ou humano) fazer o mesmo. E, claro, os filhotes aprendem uns com os outros e com a mãe, copiando comportamentos como puxar brinquedos.

Muitas vezes me perguntei como os cachorros se tornaram tão bons no aprendizado social. Enquanto muitos animais aprendem com membros de sua própria espécie, os cães são um dos poucos animais que podem aprender com outras espécies. Cães pastores, por exemplo, aprendem observando ovelhas e gado. E todos os cães aprendem observando os humanos e outros membros de suas casas, assim como Callie aprendeu a abrir portas. Os cães de rua, apesar de não estarem ligados a humanos específicos, exemplificam essa capacidade de aprendizado social. Não há outra maneira de acompanhar a sociedade humana em constante transformação.

No experimento com cachorro-quente, descobrimos que o significado dos sinais manuais foi transferido para o caudado – uma região do cérebro associada a expectativas positivas. Apesar de ser um achado científico interessante, não foi exatamente inesperado, dado o conhecimento prévio sobre o aprendizado pavloviano. A parte mais reveladora, e que nunca comentamos em nossos trabalhos acadêmicos, foram todas as outras coisas acontecendo nos cérebros de Callie e McKenzie. A atividade do córtex motor. O lóbulo temporal inferior. Essas eram as regiões que apontavam para uma teoria da mente, e eram as mesmas regiões ativadas na experiência do olfato associado a humanos familiares.

Essas regiões corticais revelam que os cães podem estar construindo modelos mentais de nossas ações. O lóbulo temporal inferior sugere que eles estavam evocando lembranças, talvez o que uma mão apontando para cima significasse, ou a identidade da pessoa associada a uma amostra de suor. Esses são os tipos de processos mentais que qualquer ser senciente usa diariamente. Os humanos usam memórias e atribuem significado a pessoas e ações o tempo todo. Aparentemente, cães também.

Embora haja evidências para uma teoria canina da mente em nossos experimentos, Callie e McKenzie não eram exatamente iguais a esse respeito. Elas apresentaram diferenças em como seus cérebros reagiram aos sinais de mão e aos cheiros. Com apenas dois pacientes, é difícil tirar vastas conclusões, mas vou pedir licença científica para especular.

No experimento do cachorro-quente, McKenzie teve uma ativação mais forte com o sinal de "cachorro-quente". Estranhamente, Callie era a amante da comida, enquanto McKenzie preferia muito mais os brinquedos como recompensa durante o treinamento. Com sua grande preferência por cachorros-quentes, eu esperava que Callie tivesse uma ativação mais forte do caudado. Mas ela não teve. Uma possibilidade é que, como Melissa e McKenzie já participavam de competições de agilidade, McKenzie estava mais sintonizada com os sinais de mão. Antes do Dog Project eu jamais havia ensinado sinais a Callie, o que poderia colocá-la em desvantagem. Outra possibilidade, que considero muito provável, é a base genética.

Embora pensássemos que ela era um *feist*, Callie era algo como um cão de rua adotado. Uma vira-lata. McKenzie, por outro lado, foi criada precisamente para ser um cão de pastoreio. *Border collies* são conhecidos por seus olhares, que os Coppinger chamaram de *olhar vigilante*. Os *border collies* não apenas veem com os olhos; eles os usam para controlar outras espécies. É possível que houvesse muito mais acontecendo no cérebro de McKenzie, pois ela não apenas interpretou os sinais de Melissa, mas também respondeu a eles com o olhar. Percebi apenas um lampejo disso em Callie, quando seus olhos se dilataram em antecipação. Mas nada se compara a ser encarado por um *border collie*.

No experimento do olfato, porém, houve uma inversão no padrão. Callie teve a resposta mais forte ao cheiro de um humano familiar. Talvez porque Callie dormia junto a nós na cama, enquanto McKenzie dormia em sua caminha. Ou talvez o vínculo entre Callie e Kat fosse mais forte do que a ligação entre McKenzie e o marido de Melissa. Será que os cães dizem mais sobre nossos relacionamentos humanos do que dizemos a nós mesmos? O termo *cão de terapia* assumiria um novo significado.

A evidência da percepção social no cérebro dos cães tem importantes implicações para a relação cão–humano. Cães nos observam constantemente, mesmo que não tenhamos consciência disso. Com olhares furtivos, eles absorvem o ambiente e formam modelos mentais do que nós humanos pretendemos fazer. São os humanos que desconhecem os cães. E é aí que mal-entendidos podem surgir.

Humanos são criaturas desleixadas. Como o touro em uma loja de porcelanas do provérbio, desconhecemos a nossa linguagem corporal. Nós tropeçamos em objetos. Acidentalmente pisamos nas caudas dos nossos cães. Emitimos um fluxo constante de sons com significados frequentemente inconsistentes. É espantoso que os cães sejam capazes de assimilar algo consistente nessa miríade de sinais. E ainda assim eles conseguem.

Todo o propósito do Dog Project era compreender a relação cão–humano do ponto de vista dos cães, e a descoberta mais importante são as evidências encontradas nos cérebros caninos de que eles têm uma teoria da mente para humanos. Isso significa que eles prestam atenção não apenas ao que fazemos, mas também ao que pensamos, e mudam seu comportamento com base no que acham que estamos pensando. Eles são os Zeligs do reino animal.[41]

Zelig foi um personagem fictício criado e interpretado por Woody Allen em seu filme de 1983 com o mesmo nome. Zelig não tinha uma personalidade própria. Em vez disso, ele assumia a personalidade e a forma física das pessoas ao seu redor. Como os médicos pensavam que ele era louco, Zelig foi internado em um hospital psiquiátrico, onde assumiu a forma de um psiquiatra. (Seu verdadeiro psiquiatra, uma mulher interpretada por Mia Farrow, apaixona-se por Zelig, e eles acabam fugindo juntos no final do filme.) Além de ser um ótimo filme, Zelig é um estudo de caso em teoria da mente. O problema de Zelig era não ter consciência de si mesmo. Ele tinha consciência apenas de outros. A consciência era tão forte que sabia o que estava na mente das outras pessoas, e ele se tornava como elas.

Se os cães são como Zelig, a forma assumida depende das pessoas com quem esses cães convivem. Se viverem com seres humanos calmos e coerentes, eles assumirão essas qualidades. Se viverem com pessoas que conversam constantemente, sem dizer nada importante, os cães aprenderão rapidamente que não há informações úteis em suas conversas. Com suas habilidades de percepção social, os cães não precisam de tagarelice em excesso. Patrícia McConnell, uma conhecida especialista em comportamento animal, escreveu extensamente sobre a eficácia da abordagem "menos é mais" na comunicação canina. O ponto central é que os humanos devem prestar mais atenção no que sua linguagem corporal comunica do que no que dizem as suas bocas.[42]

A sensibilidade dos cães aos sinais sociais também coloca uma nova reviravolta na antiga noção do humano como "líder da matilha". Embora seja fácil confundir a liderança da matilha com o fato de ser dominante, trata-se de um erro que prejudicou mais cães do que qualquer outro conselho.

A melhor analogia sobre ser um líder de matilha vem da literatura de gerenciamento. Embora existam diferentes estilos de liderança, as características mais importantes de um grande líder são a clareza e a consistência. Sem essas duas qualidades, as pessoas (e os cães) não poderão conhecer as suas intenções. Grandes líderes também são respeitados, não por causa de sua posição, mas por sua força e integridade. Líderes fazem o que dizem.

Os líderes ouvem as pessoas e, apesar de nem sempre concordarem, têm respeito pelos outros. Grandes líderes ajudam as pessoas.

Apenas quando comecei a trabalhar com Callie no Dog Project que pude perceber o quanto ela poderia ser afetada pelos meus sinais. Como apanhador e arremessador, nos tornamos uma equipe. Ela sempre teve essa habilidade. Eu apenas não havia dado a ela nenhuma direção clara antes.

Por fim, cheguei à conclusão de que a chave para melhorar as relações entre homens e cães está na percepção social, e não no behaviorismo. Reforço positivo é um atalho para treinar cães, mas não é necessariamente a melhor maneira de formar um relacionamento com eles. Para verdadeiramente viver com os cães, os humanos precisam se tornar "grandes líderes". Não ditadores, que governam distribuindo guloseimas e ameaçando punições, mas líderes, que respeitam e valorizam seus cães como seres sencientes.

Mesmo que eu não soubesse da profundidade da percepção social nos cães quando começamos, o respeito por eles havia sido incorporado ao Dog Project. Desde o início, tomamos a decisão presumida de permitir aos cães o direito de autodeterminação. Se eles não quisessem estar na ressonância magnética, eles poderiam sair. Igual a um humano. Criamos um formulário de consentimento. Embora os cães não tivessem a capacidade de entender seu conteúdo, seus guardiões humanos o fizeram. Os guardiões conseguiram avaliar os riscos, embora mínimos, em relação aos benefícios, decidindo se era do interesse dos cães participar. O modelo legal que usamos para esse processo foi retirado do manual de experimentação humana. Nós tratamos os cães como se fossem crianças humanas. Mas ninguém nunca tinha feito isso antes. Aos olhos da lei, os cães ainda são considerados propriedade.

Os resultados das imagens cerebrais mostraram que os cães tinham processos mentais bastante semelhantes aos nossos. E se isso for verdade, eles não deveriam ter direitos semelhantes aos dos humanos? Suspeito que a sociedade esteja a muitos anos de considerar essa proposição. Entretanto, decisões recentes da Suprema Corte dos Estados Unidos incluíram descobertas neurocientíficas que abrem caminho para essa possibilidade. Em 2010 o tribunal decidiu que os jovens infratores não podem ser condenados à prisão perpétua sem a possibilidade de liberdade condicional. Como parte da decisão, a corte citou evidências de imagens cerebrais em que o cérebro humano não está totalmente maduro aos treze anos, apoiando a ideia de que crianças, e até mesmo adolescentes, não são totalmente responsáveis por suas ações. Embora esse caso não tenha nada a ver com senciência do cão, a decisão abriu as portas do tribunal para a neurociência. Talvez um dia possamos ver um tribunal defendendo os direitos de um cachorro com base em descobertas feitas em imagens cerebrais.[43]

Muitas pessoas verão o argumento dos direitos caninos como algo problemático. Afinal, a maior parte dos cães de todo o mundo não tem um guardião que cuide deles. Talvez, um quinto da população mundial de cães tenha a sorte de viver na companhia de seres humanos, e uma parte desses cães realmente vive uma vida confortável. A maioria das pessoas simplesmente não se importa com cachorros.

Mas se os cães têm mais capacidade de percepção social do que pensávamos, então devemos reavaliar sua posição no espectro da consciência animal. E isso exige uma reavaliação dos seus direitos. Golfinhos, baleias, chimpanzés e elefantes, por exemplo, têm sido reconhecidos como tendo capacidades cognitivas substanciais, até mesmo de autoconsciência, e como resultado são cada vez mais protegidos da caça predatória (embora muitas pessoas não reconheçam essas proteções). Ao longo da história humana, há uma tendência inegável para a concessão de direitos básicos de autodeterminação e liberdade a grupos de pessoas que antes eram considerados inferiores. Pessoas negras, mulheres, *gays* e lésbicas se beneficiaram de um reconhecimento geral de igualdade.

Os animais serão os próximos? Como os animais não podem falar, uma revolução tecnológica será necessária, como imagens cerebrais, provando que eles têm muitos processos mentais semelhantes aos dos humanos.

Infelizmente, os cientistas continuarão resistindo ao óbvio. Muitos cientistas utilizam animais em seus experimentos. Os animais, claro, não têm escolha nessas situações. Para eles, é o fim da linha. Mesmo dentro do pequeno grupo de cientistas que passou a usar a ressonância magnética para estudar o cérebro dos cães, ainda há um desrespeito geral pelo bem-estar desses animais. Ao comprar cães criados para esse propósito, muitos desses laboratórios continuam a apoiar a repugnante indústria dos cães reprodutores, criados especificamente para pesquisas. E, até onde sei, meu laboratório ainda é o único grupo que se preocupa o suficiente com seus voluntários caninos, ao ponto de passar pelo esforço considerável de treiná-los a usar proteção auditiva.

Ainda precisamos de animais para pesquisa. Mas atualmente a grande maioria dessas pesquisas é para benefício humano. Precisamos menos disso e de mais pesquisas que beneficiem diretamente os próprios animais. Vamos começar pelos cachorros.

23

Lyra

O artigo científico que descreve os primeiros resultados com os sinais manuais foi publicado numa sexta-feira à tarde. O evento sinalizou a conclusão do primeiro capítulo do Dog Project. Pela primeira vez em meses, tive um fim de semana sem nada para fazer e planejei aproveitar ao máximo o tempo de lazer.

Era mês de maio em Atlanta – um dos dois momentos perfeitos do ano, sendo o outro em outubro. Nesses meses, e apenas nesses meses, a atmosfera ganhava uma estabilidade momentânea, já que o ar do Golfo do México estava perfeitamente equilibrado pelas frentes frias vindas do norte. O ar estava quente, mas não úmido. O pólen havia desaparecido. E a cidade estava exuberante com um novo crescimento.

Eu fiquei na varanda, curtindo o ar da primavera, enquanto Callie entrava e saía da casa com seu brinquedo favorito – um Kong azul. O Kong, com a forma de um boneco de neve, tinha o tamanho certo, de modo que Callie conseguia colocar uma ponta menor em sua boca. Surpreendentemente, o brinquedo ainda estava intacto. Ela adorava carregá-lo, me provocava pedindo para tirá-lo de sua boca e corria assim que me aproximava. Quando cochilei, pude ouvi-la à distância com o brinquedo. As horas se passaram.

Helen me acordou.

"Papai", ela disse, "Callie está choramingando."

Callie estava na sala de TV, ainda mastigando e fazendo barulho com seu Kong. Ela parecia bem. Exceto que estava mastigando e fazendo pequenos sons de lamento.

Eu tirei o brinquedo dela e joguei no outro quarto. Callie recuperou-o e se acomodou fora do meu alcance, seguindo com a brincadeira habitual. Ela continuou mastigando e choramingando. Callie não era de resmungar. Com exceção daquela vez em que comeu até parar na emergência, eu nunca a ouvira reclamar de nada. Estranhamente, ela parecia bem. Dei de ombros e disse a Helen que não se preocupasse.

"Talvez ela esteja inventando uma nova brincadeira."

Voltei para a varanda para retomar minha soneca, e Helen voltou a jogar *videogame*.

Logo o sol se escondeu atrás dos pinheiros altos ao sul, sinalizando a hora de dar comida aos cães. Callie havia parado de mastigar e choramingar e estava dormindo no sofá. Normalmente, Lyra estaria bem ali na cozinha, latindo sem parar para que déssemos sua comida. Eu a chamei, mas não obtive resposta.

Não demorou muito para encontrá-la. Ela estava na sala de estar, ofegante. Uma pilha de cocô fedorento estava ao lado dela.

Oh, Lyra, pensei, outro acidente. Nos meses anteriores, Lyra tivera alguns problemas digestivos leves. Eventualmente, ela vomitava uma pequena quantidade de líquido estomacal amarelo. Isso nunca pareceu incomodá-la, e ela sempre voltava a comer normalmente. É fato corriqueiro na vida de quem tem cães, de vez em quando você compartilha sua casa com o conteúdo estomacal deles. Newton adorava mastigar as etiquetas das roupas. Isso inevitavelmente o levava a vomitar algumas horas depois. Você se acostuma.

Enquanto Kat limpava a bagunça, alimentei Callie.

Presumi que Lyra ouviria o som da comida na cozinha e apareceria em breve. Quando ela não apareceu, fui dar uma olhada nela.

Ela estava deitada de lado. Corri até ela e acariciei sua cabeça. Eu não queria chatear as meninas. Os olhos de Lyra estavam abertos, mas ela não estava se concentrando em nada. Sua respiração era rápida e superficial. Enterrei meu rosto em seu ouvido, sussurrando seu nome e tentando desesperadamente suprimir minha crescente sensação de pânico. Mas assim que fiz isso, pude sentir que seus lábios e nariz estavam frios. Suas gengivas estavam pálidas. Corri para chamar Kat.

"Algo está muito errado com Lyra", eu disse a ela. "Temos que levá-la para a sala de emergência agora."

Enquanto Kat pegava uma toalha para levantar Lyra, dei a notícia para Helen. "Helen, Lyra está muito doente." Lutando contra as lágrimas, continuei. "Nós precisamos levá-la ao veterinário agora mesmo." Helen imediatamente sentiu a gravidade da situação.

"Posso ir?", disse ela.

"Sim, claro."

"Ela vai ficar bem?"

Lágrimas começaram a escorrer pelo meu rosto. Eu a abracei.

"Eu não sei."

Kat e eu enrolamos Lyra em uma toalha de praia e a carregamos até a *van*, onde a colocamos cuidadosamente na parte de trás. Helen sentou-se ao lado dela e acariciou sua cabeça. Era um pouco demais para Maddy, que pediu para ficar em casa. Kat concordou em ficar com Maddy, enquanto Helen e eu saímos para o pronto-socorro, a apenas cinco minutos de distância.

Era um começo de sábado à noite, e uma multidão de pessoas, gatos e cachorros lotava a emergência veterinária. Um senhor estava tentando atendimento para um *schnauzer*. Eu o ignorei e exigi ajuda imediata.

"Quanto pesa o seu cão?", perguntou a recepcionista. "Trinta e seis quilogramas."

"Dois técnicos na recepção para assistência imediata!", ela gritou no sistema de som.

Em menos de um minuto, duas mulheres apareceram com uma maca e corremos para o estacionamento. Abri a porta traseira da *minivan*. Helen ainda estava sentada com Lyra. Pela expressão facial das técnicas, pude ver que era grave.

"Há quanto tempo ela está respirando assim?", uma delas perguntou.

"Há menos de uma hora", eu disse.

Elas puseram Lyra na maca e levaram-na para a parte de trás do hospital. Helen e eu nos sentamos na sala de espera. Atordoado, abracei-a com força.

Não tivemos que esperar muito tempo. Outra jovem, com longos cabelos loiros e olhos bondosos, se apresentou.

"Eu sou a Dra. Martin, a veterinária da equipe hoje à noite." Olhei para ela, temendo o pior.

"A pressão sanguínea de Lyra está extremamente baixa e não podemos entrar com a medicação intravenosa em nenhuma de suas patas", explicou ela. "Precisamos fazer um corte em seu pescoço e colocar o soro lá para hidratá-la. Tudo bem?"

Eu disse sim, e ela correu dali.

A recepcionista me pediu para ir até a recepção assinar a papelada. Tendo estado lá antes, sabia que eles queriam garantias de pagamento. Eu certamente pagaria. No entanto, não estava preparado para o último formulário. Queríamos que a RCP (ressuscitação cardíaco-pulmonar) fosse realizada caso o coração de Lyra parasse? Se não, então ela seria uma NR: não ressuscitável.

Mesmo em humanos, a RCP oferece uma chance de 50%, na melhor das hipóteses. Se o coração de Lyra parasse, isso poderia significar compressões torácicas, desfibrilação, intubação, até mesmo massagem cardíaca aberta.

Eu liguei para Kat.

"Eles querem saber se ela deveria ser NR", eu disse.

"O que há de errado com ela?"

"Ela está em choque, mas eles não sabem por quê", eu disse. "Eles estão fazendo um corte no pescoço para hidratá-la, mas precisam saber se queremos que eles façam RCP se o coração dela parar."

Kat era enfermeira de UTI. Ela sabia aonde essa estrada levaria.

"Não quero que ela seja entubada", disse ela. "Eu não quero que ela sofra."

Eu também não queria. Eu marquei a opção NR e sentei-me com Helen.

Após quinze minutos, a veterinária saiu e explicou a situação. Eles haviam conseguido colocar a medicação intravenosa no pescoço de Lyra e ela parecia estar respondendo à hidratação que estava sendo administrada. Sua pressão arterial, no entanto, permanecia instável. O trabalho no laboratório mostrou que o nível de potássio no sangue de Lyra estava elevado. Todo o resto estava normal.

"Ela tem a doença de Addison?", perguntou a veterinária.

A doença de Addison, tecnicamente chamada de insuficiência adrenal, é uma doença um tanto rara em humanos e em cães, na qual as glândulas suprarrenais deixam de funcionar. As glândulas suprarrenais ficam em cima de cada um dos rins e produzem vários hormônios necessários para manter as funções vitais do corpo. A adrenalina é produzida ali e ajuda a manter a pressão sanguínea e a frequência cardíaca. As glândulas suprarrenais também produzem hormônios que permitem que o corpo absorva o sódio dos alimentos. Ninguém sabe o que causa a doença de Addison. Muitas vezes, ela progride tão lentamente, com sintomas leves, que às vezes nunca é diagnosticada. Até que o paciente entre em crise addisoniana. Uma crise pode ser desencadeada pelo menor distúrbio – uma doença viral ou até mesmo uma lesão leve. Sem os hormônios necessários para fortalecer o corpo no combate ao distúrbio, o paciente entra em choque.

Ninguém jamais sugeriu que Lyra pudesse ter a doença de Addison. Não havia passado pela minha cabeça, ou de Kat, ou de seu veterinário de costume. Mas a questão me fez pensar. Lyra nunca foi um cachorro de muita energia. Poderia a "Preguiça", como a chamamos, simplesmente ter ficado fatigada e fraca? Esses eram os sintomas clássicos. O vômito ocasional também poderia ser um sinal. Eu não sabia.

Kat chegou e todos nós fomos ver Lyra na UTI.

Ela parecia estar dormindo. Eu estava grato por ela aparentemente não estar sentindo dor. Vários frascos com diferentes fluidos estavam pendurados em um suporte para medicação intravenosa. Helen deitou-se ao lado dela e acariciou sua cabeça com a maior ternura possível. Os veterinários estavam administrando esteroides, supostamente assumindo que ela tinha a doença de Addison, apenas um palpite. Não havia mais nada que pudéssemos fazer ficando no hospital. Lyra parecia estável, e nossa presença poderia excitá-la, o que poderia levá-la a um novo choque.

Abracei-a gentilmente e sussurrei em seu ouvido "Eu te amo, Lyra", e enxuguei minhas lágrimas em seu pelo. A veterinária prometeu que ligaria se alguma coisa mudasse.

A viagem de cinco minutos de volta para casa pareceu durar uma hora. Ninguém disse uma palavra.

O telefone estava tocando quando entramos pela porta. Era a veterinária. Logo depois que saímos, Lyra vomitou sangue e começou a sofrer hemorragia do outro lado também. Se não se fizesse algo imediatamente, ela iria sangrar até a morte no aparelho digestivo.

"Ela está sofrendo de CID", disse o veterinário. Repeti isso para Kat.

A coagulação intravascular disseminada, ou CID, ocorre por razões desconhecidas após trauma ou choque. O corpo fica descontrolado, coagulando em lugares em que não deveria, e esgotando todos os meios de coagulação no processo. O resultado é um sangramento descontrolado, que é o que estava acontecendo com Lyra. Quando isso acontece nas pessoas, apenas as medidas mais agressivas podem salvar o paciente, e, mesmo assim, o prognóstico é ruim. No mundo dos cuidados veterinários, CID é conhecida como a "morte na gaiola".

Kat começou a chorar.

O veterinário queria ministrar uma transfusão de plasma canino, que conteria fatores de coagulação para parar o sangramento.

"Você acha que isso irá funcionar?", eu perguntei à veterinária.

"Eu não sei", disse ela. "A situação de Lyra é grave. Se pudermos parar o sangramento, ela terá uma chance."

Eu dei permissão.

"Se alguma coisa mudar, por favor, ligue-nos imediatamente."

Ninguém queria dormir naquela noite. Para nos distrair, ficamos acordados e assistimos TV até a meia-noite. Maddy queria ficar sozinha, e Helen dormiu comigo e Kat. Callie se aninhou no final da cama, confusa.

De manhã, esperei o máximo que pude antes de ligar para o hospital. O veterinário de plantão informou que os exames de Lyra pareciam estáveis. Sua contagem sanguínea não caíra muito, indicando que não perdera muito sangue. Mas seus fatores de coagulação ainda estavam abaixo do normal, e ela ainda sangrava no trato gastrointestinal. A estratégia do dia era tentar manter a pressão arterial estável.

Por volta do meio-dia, a família toda entrou na *minivan* e fomos para o hospital. Até mesmo Maddy, que normalmente se esquivava de emoções intensas, percebeu que aquela poderia ser a última vez que veria Lyra e concordou em ir. Seu rosto estava retorcido, enquanto tentava conter seus sentimentos.

No hospital, Lyra estava na mesma gaiola da noite anterior. Ela ainda estava dormindo e parecia confortável. Helen abraçou-a, e Lyra sentiu sua presença. Ela levantou a cabeça e cheirou Helen. O canto da boca de Lyra curvou-se ligeiramente em um sorriso de reconhecimento, e ela voltou a dormir. Helen cobriu-a com o cobertor que as duas usavam para dormir.

Cada um de nós teve a sua vez. Olhando as meninas abraçando-a, e no fundo sabendo que aquela poderia ser a última vez com Lyra, senti a dor mais terrível. Sofri por Lyra e lamentei pelas garotas.

Depois de trinta minutos, Lyra pareceu se animar um pouco. Ela se levantou e olhou em volta. O rosto de Helen se iluminou. Mas então Lyra mudou de posição, revelando uma mancha vermelha brilhante onde seu traseiro repousava.

Helen voltou-se para mim, soluçando. Eu comecei a chorar também.

O técnico veterinário limpou-a rapidamente. Mas como nossa presença não estava ajudando Lyra, todos concordamos que era hora de partir.

Tentamos ter uma aparência de vida normal em casa. Callie parecia meio sem graça, vagando pela casa, procurando seu travesseiro grande e fofo. Levei-a para uma volta pelo quarteirão. Geralmente andávamos de manhã e à noite, mas nenhum de nós conseguia andar o suficiente enquanto Lyra estava no hospital. Quando chegou a tarde, já tínhamos saído quatro vezes pela vizinhança.

Esperei até a troca de turno da noite para ligar novamente no hospital. A Dra. Martin assumiria o plantão, e eu queria sua opinião sobre a condição de Lyra nas últimas 24 horas.

"Ela está tendo episódios de TV", disse ela.

Taquicardia ventricular, ou TV, era uma espécie de arritmia cardíaca. Seu coração estava batendo fora de controle.

"Acabamos de dar uma dose de lidocaína", explicou a Dra. Martin. "Por hora, a arritmia está controlada."

Não havia como negar. Lyra estava indo embora. Seu coração estava acelerado porque sua pressão sanguínea estava caindo. Mas quando o coração bate tão rápido, não há tempo para ele se encher de sangue, e a pressão sanguínea continuará a diminuir. Talvez ela continuasse assim por mais um dia, mas era preciso enfrentar a realidade de que seu corpo estava em colapso. Tentar salvá-la significaria o uso de múltiplas drogas, transfusões e até mesmo entubá-la. Kat e eu vimos isso acontecer com as pessoas na UTI, tentando negar o inevitável, enquanto a família se agarrava a expectativas de recuperação irreais.

Estava na hora.

Contei a Kat o que a veterinária havia dito. Então, chamamos as garotas na mesa da cozinha e explicamos a situação de Lyra.

"Meninas", eu comecei, sufocando as lágrimas, "Lyra não está bem, e seu coração está lutando para continuar batendo. Seria errado deixar que ela sofresse apenas por nós."

Não havia mais nada a ser dito.

É um fardo pesado para crianças de 11 e 12 anos escolher entre ter seu amado cão voltando para casa ou libertá-lo de seu sofrimento. Para poupá-las dessa culpa, Kat e eu tomamos a decisão por elas e simplesmente a definimos como a coisa certa a fazer. Mesmo que eu não estivesse certo disso.

Liguei para a Dra. Martin e lhe disse que não queríamos que Lyra continuasse o tratamento quando o prognóstico era tão ruim. Ela entendeu e me assegurou que estávamos fazendo a escolha certa.

No hospital, Lyra parecia a mesma. Senti alívio por ela ainda parecer estar dormindo, mesmo que mentalmente ela provavelmente estivesse longe, beirando o coma. O monitor cardíaco contou toda a história. Ela estava em arritmia e seu coração batia duzentas vezes por minuto, rápido demais para manter a pressão arterial.

Enquanto Kat assinava os formulários, a Dra. Martin explicou o que aconteceria a seguir. Helen absorveu as informações sem esboçar nenhuma expressão. Todos nós nos sentamos no chão ao redor de Lyra, cada um de nós colocando a mão nela. A primeira injeção foi um anestésico. Não houve mudança perceptível, confirmando que Lyra já estava adormecida, e saber disso diminuiu um pouco minha culpa. A segunda injeção, um coquetel de produtos químicos, também não causou uma reação perceptível. Nenhum estremecimento, nenhum movimento. Apenas o fim da respiração superficial de Lyra. A suave curva para cima em sua boca – seu sorriso canino – permaneceu para sempre no lugar.

Pela última vez, sussurrei em seu ouvido para que só ela pudesse ouvir: "Lyra, sinto muito ter decepcionado você. Me desculpe por ter estado surdo ao que você estava dizendo. E me desculpe por não entender o que Callie estava tentando me dizer. Se eu tivesse ensinado você a entrar no *scanner* também, talvez saberia que havia algo errado. Eu sentirei sua falta, sempre".

Quando chegamos em casa, já estava escuro e começava a chover. Não havia dúvida de que Lyra receberia um funeral adequado. Mas eu preferiria esperar até a manhã.

Helen resumiu a situação: "Papai, eu não consigo dormir sabendo que seu corpo está aqui".

Então, com capacetes de lanternas, Kat e eu começamos a cavar o túmulo de Lyra no escuro. Apesar da chuva, o barro vermelho da Geórgia não se curvou facilmente ao esforço de nossas pás. Nenhum de nós se importava. Depois de duas horas cavando e erguendo pedras, estávamos olhando para um buraco tão profundo que tínhamos que ficar dentro dele para continuar cavando. Nós dois nos confortamos nas bolhas que se formaram em nossas mãos. Um rasgo na pele que simbolizava o rasgo em nossos corações.

Baixamos Lyra no buraco e chamamos as garotas para fora.

Cada uma colocou um bicho de pelúcia ao lado dela, e nós a cobrimos com seu cobertor favorito. Um após o outro, cada um de nós colocou uma pá de terra no túmulo.

A tristeza era grande demais para que alguém pudesse falar, então, falei por todos nós.

"Lyra, você foi o cão mais gentil e bondoso que já conhecemos. Você estará em nossos corações para sempre."

Sufocando as lágrimas, como fiz com a morte de Newton, dois anos antes, recitei "A ponte do arco-íris": *Neste lado do paraíso existe um lugar chamado Ponte do Arco-Íris...*

24

O que os cães estão realmente pensando

DIA DOS MORTOS, 2012

Dois anos se passaram desde a criação do Dog Project, e nosso santuário para os mortos tinha agora uma alma a mais. Pensei nas semanas que se seguiram à morte de Lyra. Ninguém em casa tinha sido o mesmo. Maddy sentia falta de abraçar aquele grande urso de pelúcia, e Kat tinha saudade do rosto feliz e despreocupado de Lyra olhando-a ao pé da mesa da cozinha. Até mesmo Callie perdera um pouco de seu brilho e passou a me seguir pela casa. Helen estava melancólica e chorou até dormir com a coleira de Lyra nas mãos.

Depois de tudo o que havíamos passado, imaginei se Lyra estava tentando me dizer alguma coisa. Supus que isso fosse possível, mas eu também sabia que sua personalidade era de tal forma que, mesmo que algo a estivesse incomodando, ela não daria nenhuma indicação. Esse era o jeito do *golden retriever*. Serenos e sempre amigáveis – essas são as razões que fazem dos *goldens* cães tão populares.

Mas os mesmos traços que os tornam tão adoráveis também dificultam saber o que eles estão pensando. Eu tinha aprendido a ler Callie, mas tinha subestimado Lyra. Por algum tempo depois da morte de Lyra me culpei por esse descuido. Mas olhando para a foto de Lyra, percebi o quão diferentes nossos cães tinham sido. Callie era uma caçadora. Lyra não era. Embora Lyra viesse de uma linhagem de cães criados para caçar e recuperar, ela jamais exibira esses traços. Ela nunca sequer se interessou em nadar.

Finalmente, depois de dois anos, o Dog Project começava a encontrar pistas sobre por que amamos tanto os cães e como os cães se tornaram quem são. Eventualmente, nossos resultados podem até explicar por que cães e humanos se uniram milhares de anos atrás. Os dados cerebrais apontaram para uma inteligência social interespécies única nos cães. Em resposta à pergunta "O que os cães estão pensando?", a grande conclusão foi a seguinte: *eles estão pensando sobre o que estamos pensando*. O relacionamento cão–humano não é unilateral. Com seu alto grau de inteligência social e emocional, os cães retribuem nossos sentimentos em relação a eles. Eles realmente são os primeiros amigos.

Em todo o mundo, os dois animais de estimação mais populares são os cães e os gatos, e ambos descendem de espécies predadoras. Parece estranho que os primeiros animais que os humanos supostamente domesticaram fossem animais caçadores. Você pode pensar que teria sido muito mais fácil para os humanos pré-históricos domesticar espécies mais dóceis. Uma explicação comum para isso é que os cães ajudavam os humanos a caçar enquanto os gatos caçavam animais perigosos. Embora plausível, essa teoria pressupõe que os seres humanos domesticavam os animais visando sua utilidade no processo de sobrevivência.

Os resultados do Dog Project sugerem uma explicação diferente. Enquanto a ativação do núcleo caudado nos cérebros dos cães revela a transferência de significado de um sinal manual para uma recompensa, como cachorros-quentes, as outras regiões do cérebro ativadas indicam a existência de uma teoria da mente. Nossos resultados sustentam uma teoria de autodomesticação baseada na cognição social superior dos cães e em sua capacidade de agir reciprocamente às relações humanas.[44] Ademais, essas habilidades sociais interespécies evoluíram a partir do passado predatório dos cães.

Além dos humanos, fortes evidências de uma teoria da mente foram encontradas apenas em macacos, que têm cognição social apenas para primatas, mas não necessariamente para outros animais. Os cães são muito superiores aos macacos na cognição social interespécies. Os cães ligam-se facilmente a

24. O que os cães realmente pensam

humanos, gatos, gado e praticamente qualquer animal. Macacos, chimpanzés e símios não farão isso naturalmente, apenas com muito treinamento desde tenra idade. E mesmo assim, eu jamais confiaria em um macaco.

Os diferentes tipos de cognição social podem ser resultado das diferentes dietas das espécies. Macacos comem frutas, ervas, sementes e, às vezes, carne. Como seres humanos, eles são onívoros. Cães (e gatos), por outro lado, são em sua maioria carnívoros. Isso significa que os ancestrais dos cães, os lobos, tiveram que caçar suas presas. Assim como os humanos, os primatas não dependem de carne para uma parte substancial de sua dieta.

Caçar é difícil. Não é tão simples quanto esperar que a presa passe na sua frente. Espécies predadoras devem ser mais espertas que suas presas. Até certo ponto, isso significa que os predadores devem entrar na mente de suas presas. Um leão, por exemplo, espreita uma gazela antecipando o que ela vai fazer, mas a gazela apenas reage. Todos os predadores, caçando sozinhos ou em bandos, tiveram que desenvolver uma teoria da mente em relação a outras espécies para obter sucesso. Os resultados da imagem cerebral sugeriram que, ao longo da evolução, os cães de alguma forma adaptavam as habilidades de seus ancestrais em ler a mente de outros animais, passando do modo predatório para um modo de coexistência.

Cerca de 27 mil anos atrás, uma subespécie de lobos se domesticou, tornando-se um cão. Durante esse período, as camadas de gelo atingiram sua maior extensão, estendendo-se bem ao sul, até a Alemanha, na Europa, e a cidade de Nova York, na América do Norte. As camadas de gelo teriam empurrado os humanos que antes haviam migrado para o norte, rumo ao sul novamente. Os lobos, que estavam bem adaptados a climas frios, também teriam migrado para o sul, seguindo as camadas de gelo. Como resultado, humanos e lobos provavelmente entraram em contato com mais frequência.

Por que eles não comeriam um ao outro? Talvez eles tenham feito isso. Porém, é mais provável que alguns lobos tenham percebido que podiam ficar em volta dos humanos. Alguns pesquisadores sugeriram que os lobos sobreviviam comendo os restos dos humanos. No entanto, John Bradshaw afirmou que os lobos precisam de grande quantidade de alimentos, e é improvável que um lobo possa ter sobrevivido exclusivamente do lixo humano. Outros sugeriram que os lobos ajudaram os humanos a caçar. Isso pode ter sido possível, mas mesmo os cães modernos precisam ser treinados para ajudar o caçador. E os lobos não são tão treináveis quanto os cães. Além disso, existem poucas representações dos cães na arte rupestre pré-histórica, que descreve a atividade de caça humana.[45]

No entanto, os resultados do Dog Project sustentam uma teoria muito mais simples. Como os lobos eram predadores, eles já haviam desenvolvido uma intuição a respeito do comportamento de outros animais, o que significava que tinham alto nível de cognição social interespécies, talvez até mesmo uma teoria da mente. Acostumados a caçar, aprender os hábitos humanos teria sido algo trivial para os lobos. Se os humanos os alimentassem, teria sido simplesmente porque eles gostavam de tê-los por perto, não porque os lobos atuariam com qualquer função de sobrevivência. Os antropólogos afirmam há muito tempo sobre a existência de uma tendência humana universal em tomar animais como bichos de estimação. Tudo, de répteis, aves, a mamíferos. Em quase todos os casos, os animais de estimação não ofereciam nenhuma utilidade além de fazer os humanos se sentirem bem.

Não é difícil imaginar uma tribo nômade da Era do Gelo encontrando por acaso uma matilha de lobos. Um lobo mais amigável e mais curioso poderia se aproximar da tribo, a princípio, apenas uma investida. Um humano amigável e curioso poderia deixar um pouco de comida nas redondezas. Não demoraria muito para os dois indivíduos se aproximarem o suficiente para obter contato físico. Inicialmente, o lobo provavelmente dividiria seu tempo entre a matilha e os humanos. No entanto, quando os seres humanos ou os lobos seguissem em frente, o lobo teria que escolher quem seguir. É fácil imaginar um lobo excepcionalmente sociável, provavelmente um macho jovem, escolhendo os humanos. O humano, provavelmente uma criança, veria que o lobo o estava seguindo e continuaria desviando comida para ele.

No entanto, de imediato, esse cenário não resultaria em nenhuma mudança física no lobo. É improvável que um único grupo de humanos possa ter acolhido mais de um lobo. Como resultado, não seria possível para o lobo se reproduzir com outros animais de mesma mentalidade. Suspeito que esses eventos isolados de domesticação ocorreram esporadicamente durante o período de 27 mil anos atrás até cerca de 15 mil anos. Somente quando os humanos deixaram de ser nômades e permaneceram em um lugar por tempo suficiente para abranger o ciclo reprodutivo do lobo a evolução física começou a decolar, e o lobo se transformou no cão. Os lobos restantes – aqueles que não queriam nada com humanos – deram origem aos lobos que conhecemos hoje. Os lobos modernos representam o extremo oposto dos cães no espectro canídeo.

O traço definidor dos cães, portanto, é a inteligência social interespécies, a capacidade de intuir o que seres humanos e outros animais estão pensando. Os lobos fazem isso apenas para caçar as suas presas. Mas os cães desenvolveram sua *inteligência social* para viver com outras espécies, e não para comê-las. A incrível inteligência social dos cães significa que provavelmente também têm uma grande capacidade de empatia. Mais do que intuir o que pensamos, os cães também podem sentir o que sentimos. Cães têm inteligência emocional. Assim como as pessoas, se os cães podem ficar felizes, então, certamente eles podem ficar tristes e solitários. Durante todo o Dog Project, fiquei impressionado com a forma perfeita como cães e humanos se complementam. Os seres humanos, mesmo com nossos cérebros poderosos e a capacidade de pensar abstratamente, ainda somos escravos de nossas emoções, que são percebidas pelos cães, entrando em processo de ressonância. E a emoção mais poderosa de todas é o amor. Apesar das complexidades das relações humanas, o atributo fundamental do amor é a empatia. Amar e ser amado é sentir o que o outro sente e ter essa reciprocidade. É realmente simples assim. Se as pessoas fazem isso umas com as outras, parece natural que façamos isso com animais também. As pessoas tornam-se intensamente ligadas aos seus animais de estimação. Todos os dias, no meu caminho para o trabalho, passo por um prédio comercial com um anúncio sobre aconselhamento para a perda de animais. Não é exagero dizer que, para muitas pessoas, os animais de estimação são seus principais relacionamentos e que amam seus gatos e cachorros mais do que pessoas. É por isso que dói muito quando os perdemos.

Não éramos uma casa de um cachorro. A dor pela morte de Lyra foi profunda, mas o vazio foi ainda pior. Finalmente, toda a família, incluindo Callie, foi mais uma vez até o abrigo de animais. Dessa vez, Callie estava lá para nos ajudar a escolher um novo cão para se juntar à família.

Andando por fileiras e mais fileiras de cachorros latindo, cães parecidos com Callie estavam por toda parte. Parecia que em todas as gaiolas havia um magrelo cão de rua. Pelo preto, peito branco, cauda em formato de C. E cada um deles tinha a raça definida como sendo um *mix* de *pit bull terrier*. Outro nome para *feist*. A tentação de conseguir um irmão gêmeo para Callie era forte, mas Helen insistiu em ter um filhote. Alguém macio e fofinho – como Lyra, mas diferente.

Nos concentramos em encontrar um filhote fofo. Ele tinha um focinho longo, lábios caídos e orelhas grandes demais para a cabeça. Não havia dúvidas sobre ele. Trata-se de um *hound*. Ao contrário de seus vizinhos, ele não estava latindo. Amassei um pedaço de papel e joguei no canto de sua gaiola. Ele pegou e trouxe de volta para mim. Supostamente, esse era o melhor teste de temperamento para filhotes de cachorro. Um filhote que recuperava objetos indicava uma predisposição para o convívio com humanos. Estava vendido.

Callie deu-lhe uma boa cheirada e abanou o rabo. Era unanimidade.

Continuando nossa tradição de nomes literários, Helen e Maddy o chamaram de Cato, em homenagem ao personagem de *Jogos Vorazes*, de Suzanne Collins. Não importa que Cato tenha sido o pior inimigo de Katniss Everdeen, a heroína do romance. Pelo menos ele era ousado e tinha um propósito.

Nosso Cato, no entanto, era um bobão. Desajeitado e excêntrico, ele corria pela casa tropeçando e dando cambalhotas. Por causa de sua propensão a colocar tudo na boca, ele foi apelidado de "bola de pelos com dentes".

Quando Cato tinha seis meses de idade, sua personalidade começou a surgir. Ele passou pela dentição sem destruir muita coisa, embora tivesse uma obsessão com etiquetas de roupas. Ele também gostava de desenrolar rolos de papel higiênico e arrastar um rastro de papel para fora do banheiro.

Kat notou a estranha semelhança com Newton.

"Eu acho que Cato é Newton reencarnado", disse ela. "Essas são exatamente as mesmas coisas que Newton costumava fazer."

Ela estava certa. Embora Cato fosse, de alguma forma, um substituto para Lyra, ele estava mais perto de ser um novo Newton.

Helen, agora com 13 anos, queria ser a principal responsável pelos cuidados com Cato.

"Você sabe o que isso significa?", perguntei.

"Eu vou ter que deixá-lo sair à noite até que esteja educado para fazer as necessidades no local certo."

"Sim."

"E vou ter que treinar Cato para sentar, ficar e andar." Cato ouviu seu nome e pulou no colo de Helen. Ele começou a lamber seu rosto.

"Você vai alimentá-lo?", perguntei. "Arrá."

"E você vai recolher seus cocôs nas caminhadas?"

Helen hesitou e pensou sobre isso.

"Hum, quanto a isso não sei."

Inscrevi Helen e Cato para a aula de filhotes no TAP. A aula de Mark foi uma gentil introdução ao treinamento básico para filhotes e donos, permitindo que os filhotes socializassem com outros cães em um ambiente seguro.

Helen sorria, maravilhada por ter aprendido a fazer Cato sentar e deitar. Como Callie, seu amor por cachorros-quentes tornava o treinamento mais fácil.

Claro, seria preciso mais do que um treinamento básico para criar um filhote. Se aprendi alguma coisa com o Dog Project, certamente foi como me comunicar de maneira mais eficiente. Os cães chegam prontos para absorver as regras sociais da casa. São as nossas inconsistências humanas que tornam a tarefa difícil para eles.

Os humanos emitem um fluxo constante de sinais. Nós falamos constantemente. Nossos corpos estão em movimento. Gesticulamos em padrões desordenados, em tentativas falhas de comunicar emoções. Não está claro o quanto dessa conversa verbal e física é realmente necessário. Percebi que Callie ignorou a maioria dos gestos da família e, em vez disso, reservou sua atenção para os sinais que carregavam informações úteis. Eu respeitava seu caráter. O que dois anos antes seria confundido com indiferença agora eu entendia ser uma economia de atenção. Ela havia sido capaz de realizar grandes feitos de mentalização quando trabalhou comigo como parte do Dog Project. Se ela não estava interessada no que eu estava dizendo, percebi que isso acontecia porque não estava deixando claro o que eu queria.

Após passar horas olhando nos olhos de Callie, conseguimos um nível de comunicação que jamais tive com outro cachorro. Nem mesmo com

Newton. Acabei aprendendo a ler a linguagem corporal de Callie, especialmente seus olhos. Seus movimentos de atenção revelavam o que havia atraído o seu interesse. As fotografias e as imagens de vídeo do Dog Project confirmaram que a atenção dos cães estava concentrada nos humanos. Eu não tinha percebido na época, mas, quando repassava as imagens, isso era impossível de ignorar. Os cães estavam nos observando, tentando descobrir o que estávamos pensando e como moldar seu próprio comportamento para se encaixar.

Consistência e clareza. Essa foi a receita de sucesso. Resolvi ser mais consistente – tanto com cães quanto com humanos.

Depois de uma das aulas de filhotes, Helen me perguntou: "Cato poderia participar do Dog Project?".

"Ele é muito jovem", respondi.

"Quantos anos ele precisa ter?"

"Pelo menos um ano de idade."

"Mas", Helen opinou, "ele é realmente esperto. Aposto que ele poderia manter a cabeça parada."

"Ele provavelmente poderia. Mas os cérebros dos filhotes não estão totalmente desenvolvidos. Não saberíamos como comparar seu cérebro a um cérebro adulto como o de Callie."

Helen aceitou o argumento. "Posso começar a treiná-lo para que esteja pronto quando tiver um ano de idade?"

"Claro", eu disse. "Mas por que você quer que ele participe do Dog Project?"

Helen acariciou a cabeça de Cato.

"Para saber o que ele está pensando."

Eu sorri. Eu sabia exatamente como ela se sentia.

EPÍLOGO

Dois anos e dois cachorros. Dois cachorros escaneados e dois cachorros partiram. O Dog Project começou como uma ideia nascida da dor de perder nosso *pug* Newton, mas floresceu em algo maior do que qualquer um de nós poderia imaginar. Até aquele momento, havia mantido meus sentimentos em relação aos cães em segredo. Mas depois que publicamos os resultados iniciais com Callie e McKenzie, houve uma grande manifestação de apoio vinda de pessoas do mundo todo. Fiquei comovido com como as pessoas desejavam fortemente saber o que seus cães estavam pensando.

Uma das primeiras pessoas de quem ouvi falar foi Jessie Lendennie, poetisa e editora-chefe da editora Salmon Poetry, na Irlanda. Jessie teve a gentileza de me enviar uma antologia poética, *Dogs Singing*, uma compilação da obra de poetas do mundo todo. É uma bela homenagem ao poderoso efeito que os cães têm sobre as pessoas. Foi algo inspirador, no momento em que o Dog Project se expandia para além de apenas dois cães.

Seguir adiante era algo arriscado. Ainda não tínhamos financiamento. Só chegamos até aqui com os esforços voluntários de Mark e Melissa e de todas as pessoas do meu laboratório, especialmente Andrew. O tempo do *scanner* ainda custava quinhentos dólares por hora, e isso era inegociável. Paguei pelos custos do escaneamento usando os fundos de pesquisa discricionária que acumulei ao longo dos anos, mas, ao final dos experimentos com cachorro-quente e odores, nos perguntamos o que viria a seguir.

Tínhamos os únicos cães no mundo treinados para entrar em uma ressonância magnética. Poderíamos continuar sonhando com perguntas sobre como o cérebro canino funcionava, mas havia limites no que poderia ser analisado com apenas dois pacientes. Se o Dog Project fosse continuar a decifrar o que nossos amigos peludos pensam sobre nós, o caminho estava claro: precisávamos de mais cães. Se tivéssemos mais cães, poderíamos encontrar uma solução para as perguntas sobre quanto das diferenças entre

Callie e McKenzie tinham causas genéticas, ou ambientais, ou eram apenas flutuações cotidianas aleatórias de humor, o que certamente deve acontecer, assim como acontece em humanos. Todos querem saber a respeito das diferenças entre raças.

Mesmo não sabendo como pagaríamos por tudo isso, nunca questionei se eu realmente deveria entrar de cabeça nesse projeto. Sempre preferi seguir minha paixão e intuição na ciência, em vez de tentar encaixar meu programa de pesquisa nos assuntos benquistos pelas agências de financiamento. Não hesitei em comprometer todos os recursos disponíveis para expandir o Dog Project. Eu tinha fé de que eventualmente as pessoas perceberiam que não se tratava de um esforço frívolo, e que decifrar o que acontece nas mentes dos cães nos diria algo sobre de onde os humanos vieram e como podemos viver mais harmoniosamente com essas maravilhosas criaturas.

A primeira ordem do dia era recrutar um time de campeões. Mark enviou um *e-mail* para todos que haviam passado pelo TAP nos dez anos anteriores. Ele ligou para os veterinários locais. Definimos um alto padrão de qualidade. Callie e McKenzie nos mostraram que tipo de cachorro poderia participar do projeto. Os cães tinham que ser calmos, adaptáveis a ambientes novos, a estranhos, a outros cães. Era preciso que fossem inquisitivos e não tivessem medo de barulhos altos. Era necessário que fossem capazes de usar protetores de ouvido e, acima de tudo, era preciso ter vontade de aprender coisas novas.

Nós realizamos testes. Testamos as equipes de cães e humanos em sua capacidade de aprender novas tarefas, como entrar na bobina da cabeça e usar protetores de ouvido. Tocamos gravações do ruído do *scanner*, observando qualquer sinal de ansiedade. Depois de horas de testes, restaram cinco novos cães e donos que estavam prontos para se comprometer com o projeto.

Kady usando protetores de ouvido (acima).
Tigger na bobina de cabeça (abaixo) (foto de Helen Berns).

Como se não bastasse, os cães representavam diferentes raças. Havia Kady, uma mistura de labrador e *golden* que tinha saído do treinamento de terapia por ser muito sensível. Havia Rocky, o *poodle* em miniatura; Caylin, outro *border collie*; e Huxley, uma mistura de *brittany*. E finalmente, completando a heterogênea tripulação, estava Tigger, um risonho *Boston terrier* que me lembrava muito Newton.

Mark aprimorou nosso plano de treinamento e passamos a realizar aulas semanais no TAP, onde gradualmente aclimatamos os cães ao ambiente da ressonância magnética. Em poucos meses, passamos de dois cães para oito, e estávamos indo muito bem rumo a lugares onde os cães jamais estiveram!

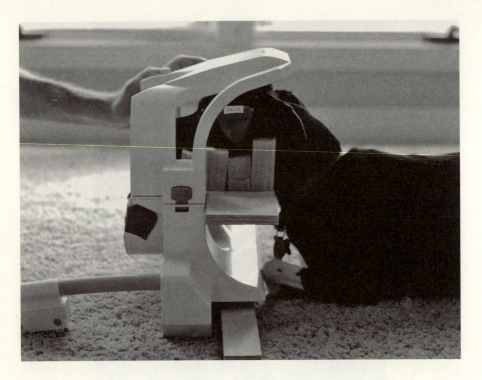

Callie testando uma bobina de pescoço (foto de Helen Berns).

Callie continuou como o cão principal. Sempre que adicionávamos algo novo – um novo experimento ou equipamento –, Callie era a primeira a testá-lo. Com sua ajuda, descobrimos que poderíamos obter sinais mais fortes do cérebro de um cachorro usando uma bobina projetada para o pescoço humano. Com esse tipo de bobina, o elemento de captação estava mais próximo ao cérebro do que usando a gaiola.

Ao falar sobre o Dog Project, aprendi que as pessoas reagem de duas maneiras diferentes. Pessoas que amam cães não precisam de mais explicações, elas entendem o desejo de saber o que seus cães estão pensando, especialmente como eles as amam. Elas se perguntam por que ninguém fez isso antes. O outro tipo de pessoa, possivelmente um dono de cachorro, mas não um amante dos cães, vê isso como um desperdício colossal de dinheiro.

Não deveríamos estar usando essas caras máquinas de ressonância magnética para melhorar a saúde humana?

É uma pergunta válida, e a melhor maneira de responder é dizer que, com o Dog Project, estamos melhorando a condição humana. Tenho trabalhado com neurociência por quase vinte anos, e a maior parte de minha pesquisa foi financiada pelos Institutos Nacionais de Saúde com o intuito de compreender como o sistema de recompensas humanas funciona nos casos de dependência. No entanto, um número maior de pessoas foi positivamente impactado por uma única experiência com cérebros de dois cães do que as milhares de IRM que fizemos anteriormente em humanos. Nem todo mundo adora cachorros, mas, para os que adoram – e isso é cerca de metade da população dos Estados Unidos –, o bem-estar de seus cães está intimamente ligado ao seu próprio bem-estar. Se for possível entender apenas um pouco do que se passa por trás desses olhinhos, os laços entre humanos e cães só tendem a se fortalecer.

Os efeitos benéficos de viver com animais já foram bem documentados. Os Centros de Controle e Prevenção de Doenças afirmam que viver com animais de estimação pode diminuir os níveis de pressão arterial, colesterol e triglicérides, além de aliviar a sensação de solidão. Os cães, especialmente, oferecem oportunidades de exercício e socialização.

À medida que avançamos com o Dog Project, um dos meus sonhos é realmente descobrir o que causa o vínculo forte entre homem e cão, o que Konrad Lorenz chamou de "cão ressonante" – um cão e um ser humano que estão totalmente em sincronia. Usando a reatividade de partes específicas do cérebro de um cão em relação a um humano, poderíamos avaliar a força desse vínculo e descobrir atividades para fortalecê-lo, ou combinar melhor as pessoas com os cães. Animais de terapia também seriam beneficiados, na procura e no treinamento, ajudando na capacitação dessa importante atividade.

E embora seja fácil ver como poderíamos usar essas descobertas para melhorar a saúde humana, acho que é tão importante quanto usá-las para aumentar o bem-estar dos cães. Embora sejam considerados por muitos como os melhores amigos do homem, também são bastante mal compreendidos, o que é resultado da impressão que muitas pessoas têm de que os cães são apenas lobos domesticados. Fiquei desapontado quando percebi essa atitude de um funcionário do NIH para quem eu apresentava a expansão do Dog Project, com o intuito de entender melhor como os cães diminuem o estresse nos seres humanos. Em vez de ver como o sistema de recompensas do cão está ligado ao bem-estar do ser humano, sua resposta foi "Imagino que [o sistema de recompensas] esteja em máxima atividade quando o cão está rasgando um ser humano em pedaços". Só posso imaginar que ele teve uma experiência ruim com cães durante a infância ou que ele anda lendo muitas histórias de lobisomens.

O ponto é que podemos usar a tecnologia de imagem cerebral para nosso próprio benefício, mas também podemos treiná-la em cães para o benefício deles. Estamos apenas começando a descobrir o que os cães sabem e o que sentem. Mas já sabemos que a principal causa de problemas comportamentais nos cães modernos é a ansiedade de separação. Os cães se apegam a seus humanos e, o que é totalmente compreensível, sentem-se solitários quando as pessoas se vão. Quando eles destroem coisas, todo mundo sofre, mas é o cão que pode acabar no abrigo.

Pode parecer absurdo que varreduras nos cérebros caninos resolvam problemas como esse. Mas como um cão não pode nos dizer o que está incomodando, analisar sua mente pode nos dizer qual aspecto de ser separado de seu humano causa mais sofrimento. É uma questão de tempo ou distância? Quão eficazes as *webcams* podem ser para vigiar nossos cães durante o dia? Atualmente, ninguém sabe como interpretar melhor os sistemas perceptivos dos cães por meio da tecnologia. A imagem cerebral pode abrir caminhos.

Além de toda a promessa de novas descobertas, o aspecto do Dog Project do qual me sinto mais orgulhoso é a forma como tratamos os cães. Obviamente, Callie e McKenzie eram membros da família, mas as tratamos como seres humanos na esperança de que outros cães que seguissem suas pegadas de patinhas seriam tratados com o mesmo respeito e teriam direitos de autodeterminação. Até que se prove o contrário, acredito que o curso correto da ação é supor que os cães (e provavelmente muitos outros tipos de animais) têm um nível de autoconsciência e emoções muito similar aos encontrados em humanos, muito mais do que poderíamos imaginar.

AGRADECIMENTOS

Em primeiro lugar, e principalmente, tenho uma gratidão especial a Andrew Brooks e Mark Spivak. Andrew arriscou-se trabalhando no projeto, doando seu tempo de estudos do doutorado para seguir nosso sonho de ler a mente de um cachorro. Sem suas contribuições e ética de trabalho incansáveis, nada disso teria sido possível. Sem Mark, nunca teríamos sido capazes de treinar os cães para entrar no *scanner*. Mark assumiu o projeto porque parecia divertido e interessante, mas acabou sendo voluntário por inúmeras horas, aprimorando nossos protocolos de treinamento. Mais do que um treinador de cães, Mark fez contribuições inestimáveis para a ciência. Eu não poderia ter pedido colegas melhores que Andrew e Mark.

As outras pessoas no laboratório contribuíram de muitas maneiras, grandes e pequenas. Algum dia vou olhar para esses dois anos e perceber que foi uma época de ouro, tão especial pela sorte de ter as pessoas certas na hora certa. Obrigado a Jan Barton, Kristina Blaine, Mônica Capra, Gavin Ekins, David Freydkin, Lisa LaViers, Melanie Pincus, Michael Prietula e Brandon Pye.

Fora do laboratório, sou grato a Larry Iten, diretor do Instituto IACUC, por não ter desligado o telefone quando liguei para propor o Dog Project. Larry me ajudou a conduzir o projeto pelo labirinto de regulamentos da pesquisa animal. Sarah Putney, diretora do IRB, ajudou a redigir o formulário de consentimento para os donos de cachorros e conversou conosco a respeito das implicações de tratar cães como crianças em pesquisas. A equipe veterinária da Emory tem sido ótima, com agradecimentos especiais a Deborah Mook, Michael Huerkamp e especialmente a Rebeccah Hunter, que descobriu como manter os protetores nos cães. Operando o *scanner*, agradeço aos conhecimentos de Robert Smith, Lei Zhou e Sinyeob Ahn, que foram cruciais para descobrir como programar a ressonância magnética para escanear os cães.

Sou eternamente grato a todos que ofereceram seus cães e seu tempo para fazer parte do Dog Project. Melissa Cate foi a primeira a se juntar à equipe com sua cachorra, McKenzie. Sem elas, tudo não passaria de um truque de cachorro fofo para Callie. Agradeço também aos membros da equipe: Patricia King e Kady, Lorrie Backer e Caylin, Aliza Levenson e Tigger, Melanie Pincus e Huxley, e Richard Fischhof e Rocky.

Agradeço a Jim Levine por me encorajar a narrar as experiências do Dog Project, ajudando a transformar a ideia em um livro e me apresentando a David Moldawer, da Amazon, que ajudou a tornar o livro realidade.

Obrigado a Bryan Meltz por sua incrível habilidade fotográfica.

E, por fim, agradeço a Kat, Helen e Maddy, por viverem com o Dog Project. Eu prometo tirar o simulador da sala algum dia.

NOTAS

2. Como é ser um cachorro

1   Como é ser um cachorro: Thomas Nagel. "What is it like to be a bat?" Philosophical Review 83, no. 4 (outubro de 1974): pp. 435-450.

Muitos autores têm escrito a respeito da mente dos cães. Para uma boa revisão do tema, ver: John Bradshaw. Cão Senso: Como a nova ciência do comportamento canino pode fazer de você um verdadeiro amigo do seu cão.

2   Lupomorphismo: Adam Miklosi. Dog Behaviour, Evolution, and Cognition (Oxford e Nova York: Oxford University Press, 2007), p. 15.

3   Parte visual do cérebro e imaginação: Xu Cui et al. "Vividness of mental imagery: individual variability can be measured objectively." Vision Research 47, n. 4 (fevereiro de 2007): 474-478.

4. Passinhos de cachorrinho

4   Condicionamento clássico: Steven R. Lindsay. Handbook of Applied Dog Behavior and Training. Vol. 1, Adaptation and Learning (Ames: Iowa State University Press, 2000).

6. Cães ressonantes

5   Florence Nightingale: Florence Nightingale. Notes on Nursing: What It Is, and What It Is Not (Nova York: D. Appleton, 1860), p. 103.

6   Provando que cães e animais no geral podem melhorar a saúde humana: Lori S. Palley, P. Pearl O'Rourke, e Steven M. Niemi. "Mainstreaming animal-assisted therapy." ILAR Journal 51, no. 3 (2010): 199-207.

Terapia de crianças e animais: Kathie M. Cole et al. "Animal-assisted therapy in patients hospitalized with heart failure." American Journal of Critical Care 16, no. 6 (November 2007): 575-585. Elaine E. Lust et al. "Measuring clinical outcomes of animal-assisted therapy: impact on resident medication usage." Consultant Phar-macist 22, no. 7 (julho de 2007): 580-585. Carie Braun et al. "Animal-assisted therapy as a pain relief intervention for children." Complementary Therapies in Clinical Practice 15, no. 2 (maio de 2009): 105-109.

Padrões de terapia animal assistida: isso é chamado de meta-análise e foi descrita em: Janelle Nimer e Brad Lundahl. "Animal-assisted therapy: a meta- analysis." Anthrozoos 20, no. 3 (setembro de 2007): pp. 225–238.

7   Konrad Lorenz: Konrad Lorenz. Man Meets Dog. Traduzido por Marjorie Kerr Wilson (Nova York, Tokyo e Londres: Kodansha International, 1994).

Animais demonstrando uma concepção de justiça: Frans de Waal. Our In- ner Ape: A Leading Primatologist Explains Why We Are Who We Are (Nova York: Riverhead, 2005).

Cachorros ressonantes: Lorenz, Man Meets Dog, p. 76.

7. Os advogados se envolvem

8   A Raiva nos Estados Unidos: "Human Rabies". Centro de Controle e Prevenção de Doença, última atualização, 3 de maio de 2012.

8. O simulador

9   9 Sobre as primeiras investigações a respeito da audição dos cães: E. A. Lipman e J. R. Grassi. "Comparative auditory sensitivity of man and dog." American Journal of Psychology 55, no. 1 (janeiro de 1941): pp. 84–89.

9. Treinamento básico

10   "Observational learning in the dog (Canis familiaris)." Developmental Psychobiology 10, no. 3 (maio de 1977): pp. 267–271. Cf. A. Miklosi, Dog Behaviour.

Filhotes observando as mães: J. M. Slabbert e O. Anne E. Rasa. "Observational learning of an acquired maternal behaviour pattern by working dog pups: an alternative training method?" Applied Animal Behaviour Science 53, no. 4 (Julho de 1997): pp. 309–316.

11   Mutt Muffs: Mutt Muffs, acessado em: 20 de dez. de 2012. http://www.safeandsoundpets.com/index.html.

11. A cenoura ou a vara?

12   Sobre Cesar Millan e os líderes da matilha: Cesar Millan e Melissa Jo Peltier. "Be the Pack Leader: Use Cesar's Way to Transform Your Dog... and Your Life" (Nova York: Harmony Books, 2007).

12. Cães no trabalho

13   Cães no local de trabalho: Randolph T. Barker et al. "Preliminary investigation of employee's dog presence on stress and organizational perceptions." International Journal of Workplace Health Management 5, no. 1 (2012): pp. 15–30.

14   Níveis crônicos de cortisol alto: Robert M. Sapolsky. "Why Zebras Don't Get Ulcers", 3ª ed. (Nova York: Henry Holt, 1994).

A política de cães do Google: "Code of Conduct." Google Investor Relations, última modificação em 24 de abril de 2012. http://investor.google.com/corporate/code-of-conduct.html#toc-dogs.

15   Empresas amigas dos cães. No site dogfriendly.com há uma lista feita por usuários das empresas que permitem cães.

Charles Darwin: Charles Darwin. A expressão das emoções no homem e nos animais, pp. 55–56.

16   O trabalho de Darwin foi esquecido por mais de um século... A situação está mudando, em grande parte por causa dos esforços de Paul Ekman, um psicólogo que estudou extensivamente as expressões faciais em humanos, e de Frans de Waal, um etologista que estuda o comportamento dos primatas.

Houve algumas exceções... Marc Bekoff, etologista da Universidade do Colorado em Boulder, passou grande parte de sua carreira estudando o trabalho de Darwin. Bekoff argumentou enfaticamente pelo reconhecimento das emoções animais: Marc Bekoff. The Emotional Lives of Animals: A Leading Scientist Explores Animal Joy, Sorrow, and Empathy— and Why They Matter (Novato, CA: New World Library, 2007).

Jaak Panksepp: Jaak Panksepp. Affective Neuroscience: The Foundations of Human and Animal Emotions (Nova York: Oxford University Press, 1998).

17   Reduzindo as emoções a seus componentes fundamentais: Stanley Schachter e Jerome E. Singer. "Cognitive, social, and physiological determinants of emotional state." Psychological Review 69, no. 5 (setembro de 1962): pp. 379–399.

Modelo Circunflexo: James A. Russell. "A circumplex model of affect." Journal of Personality and Social Psychology 39, no. 6 (1980): pp. 1161–1178.

18   O sistema de busca: Jaak Panksepp. "The basic emotional circuits of mammalian brains: do animals have affective lives?" Neuroscience and Biobehavioral Reviews 35, no. 9 (outubro de 2011): pp. 1791–1804.

14. Grandes perguntas

19   Estímulos elétricos nos cérebros dos cães: Gustav Fritsch e Eduard Hitzig. "Ueber die elektrische Erregbarkeit des Grosshirns" [Excitabilidade elétrica do cerebelo]. Archiv fuer Anatomie, Physiologie und Wissenschaftliche Medicin 37 (1870): pp. 300–322. T. Gorska. "Functional organization of cortical motor areas in adult dogs and puppies." Acta Neurobiologiae Experimentalis 34, no. 1 (1974): pp. 171–203.

20   Núcleo caudado e recompensas: o processamento de recompensas é geralmente associado ao núcleo accumbens, que é uma sub-região do núcleo caudado. Essa região também é chamada de estriado ventral. Para facilitar, refiro-me aos dois como caudado.

Wolfram Schultz e a medida da atividade do caudado: Wolfram Schultz et al. "Neuronal activity in the monkey ventral striatum related to the expectation of reward." Journal of Neuroscience 12, no. 12 (dezembro de 1992): pp. 4595–4610.

16. Um novo mundo

21   Atlas das imagens cerebrais caninas da Universidade de Minnesota (http://vanat.cvm.umn.edu/mriBrainAtlas/)

22   Inferência reversa: Russell A. Poldrack. "The role of fMRI in cognitive neuroscience: where do we stand?" Current Opinion in Neurobiology 18, no. 2 (abril de 2008): pp. 223–227.

Inferência reversa no caudado: Dan Ariely e Gregory S. Berns. "Neuromarketing: the hope and hype of neuroimaging in business." Nature Reviews Neuroscience 11, no. 4 (abril de 2010): pp. 284–292.

23   O amor e o núcleo caudado : Arthur Aron et al. "Reward, motivation, and emotion systems associated with early-stage intense romantic love." Journal of Neurophysiology 94, no. 1 (julho de 2005): pp. 327–337.

17. Ervilhas e cachorros-quentes

24   Preferência lateral em cães: Camille Ward e Barbara B. Smuts. "Quantity-based judgments in the domestic dog (Canis lupus familiaris)." Animal Cognition 10, no. 1 (janeiro de 2007): pp. 71–80.

18. Pelos olhos de um cão

25   A relação sinal-ruído: a relação SR aumenta em um fator de $\sqrt{N}$, em que N corresponde ao número de repetições. Por exemplo, cem repetições aumentariam a relação SR em um fator de dez.

26   Cães usavam sinais de atenção de humanos.: Márta Gácsi et al. "Are readers of our face readers of our minds? Dogs (Canis familiaris) show situation-dependent recognition of human's attention." Animal Cognition 7, no. 3 (julho de 2004): pp. 144–153. Cães são afetados pelo contexto social: Juliane Kaminski et al. "Domestic dogs are sensitive to a human's perspective." Behaviour 146, no. 7 (2009): pp. 979–998. Alexandra Horowitz. "Theory of mind in dogs? Examining method and concept." Learning and Behavior 39, no. 4 (dezembro de 2011): pp. 314–317.

27   Saber como ler as pessoas e como se comportar em diferentes situações sociais é a diferença entre o sucesso e o fracasso: Gregory Berns. Iconoclast: A Neuroscientist Reveals How to Think Differently (Boston: Harvard Business School Press, 2008).

19. EURECA!

28   Nada no cérebro implica uma compreensão do significado... Quando apresentei pela primeira vez essas descobertas para um grupo de psicólogos, é exatamente isso que eles disseram. A capacidade dos cães de intuir o significado dos sinais sociais humanos: Brian Hare and Michael Tomasello. "Human-like social skills in dogs?" Trends in Cognitive Sciences 9, no. 9 (setembro de 2005): pp. 439–444. Brian Hare, Josep Call, e Michael Tomasello. "Communication of food location between human and dog (Canis familiaris)." Evolution of Communication 2, no. 1 (1998): pp. 137–159. Ver também: A. Miklósi et al. "Use of experimenter-given cues in dogs." Animal Cognition 1, no. 2 (1998): pp. 113–121.

Cognição social em lobos e chimpanzés: Brian Hare et al. "The domestication of social cognition in dogs." Science 298, no. 5598 (novembro de 2002): pp. 1634– 1636. Ver também Brian Hare e Vanessa Woods. The Genius of Dogs: How Dogs Are Smarter than You Think (Nova York: Dutton, 2013).

29   Experimento com Kool-Aid: Giuseppe Pagnoni et al. "Activity in human ventral striatum locked to errors of reward prediction." Nature Neuroscience 5, no. 2 (2002): pp. 97–98.

Disfunções do núcleo caudado por adições: Nora D. Volkow et al. "Addiction: beyond dopamine reward circuitry." Proceedings of the National Academy of Sciences of the United States of America 108, no. 37 (setembro de 2011): pp. 15037–15042.

Efeito bônus do caudado em situações sociais: James K. Rilling et al. "A neural basis for social cooperation." Neuron 35, no. 2 (18 de julho de 2002): pp. 395–405. I. Aharon et al. "Beautiful faces have variable reward value: fMRI and behavioral evidence." Neuron 32, no. 3 (8 de novembro de 2001): pp. 537–551.

20. Será que o meu cachorro me ama?

30   Terminamos o artigo científico: Gregory S. Berns, Andrew M. Brooks, e Mark Spivak. "Functional MRI in Awake Unrestrained Dogs." Public Library of Science ONE 7, no. 5 (2012): e 38027.

31   Neurônios-espelho: Giacomo Rizzolatti e Luigi Craighero. "The mirror-neuron system." Annual Review of Neuroscience 27 (2004): 169–192.

32   Neurônios-espelho e a base da empatia: Marco Iacoboni e Mirella Dapretto. "The mirror neuron system and the consequences of its dysfunction." Nature Reviews Neuroscience 7 (dezembro de 2006): pp. 942–951.

Imitação e empatia: Marco Iacoboni. "Imitation, empathy, and mirror neurons." Annual Review of Psychology 60 (janeiro de 2009): pp. 653–670.

33   Ativação cerebral ao assistir a filme mudo com latido canino: Kaspar Meyer et al. "Predicting visual stimuli on the basis of activity in auditory cortices." Nature Neuroscience 13, no. 6 (junho de 2010): pp. 667–668.

21. Que cheiro é esse?

34   O olfato canino é cem mil vezes mais sensível: John Bradshaw. Dog Sense.

35   Cheiro e controle de movimento: Joel D. Mainland et al. "Olfactory impairments in patients with unilateral cerebellar lesions are selective to inputs from the contralesional nostril." Journal of Neuroscience 25, no. 27 (6 de julho de 2005): pp. 6362– 6371.

36   Cães podem reconhecer a própria urina: Marc Bekoff. "Observations of scent-marking and discriminating self from others by a domestic dog (Canis familiaris): tales of displaced yellow snow." Behavioural Processes 55, no. 2 (15 de agosto de 2001): pp. 75–79.

37   McKenzie não estava tendo um dia bom: McKenzie voltou três semanas depois, depois de Mark e Melissa terem praticado com ela. Ela então se apresentou como uma campeã e sentou-se por mais de setecentos exames.

38   A ativação cerebral do cão é similar a uma ativação humana para as pessoas que eles amam: Aron et al. "Reward, motivation, and emotion systems."

22. Primeiro amigo

39   A maior parte dos cães de todo o mundo são cães de rua: ver um clássico sobre esse assunto: Raymond Coppinger e Lorna Coppinger. Dogs: A New Understanding of Canine Origin, Behavior, and Evolution (Chicago: University of Chicago Press, 2001).

40   A rapidez com que os cães mudaram de forma: Coppinger e Coppinger, Dogs, p. 297.

41   Os cães assumem a forma das pessoas ao seu redor: Lance Workman, um psicólogo da Universidade Bath Spa na Britaina, estudou tanto a semelhança física dos cães com seus donos quanto suas personalidades e encontrou evidências que provam esse relacionamento.

42   A abordagem "menos é mais" na comunicação com os cães: Patricia B. McConnell. The Other End of the Leash: Why We Do What We Do Around Dogs (Nova York: Ballantine Books, 2002).

43   Tribunal Superior e a neurociência: Graham v. Florida, 560 US (2010).

24 . O que os cães realmente pensam

44   Autodomesticação: Hare and Woods. Genius of Dogs.

45   Lobos necessitam de uma enorme quantidade de comida: John Bradshaw. Dog Sense. Prehistoric cave art...: Pat Shipman. The Animal Connection: A New Perspective on What Makes Us Human (Nova York: W. W. Norton, 2011), p. 227.

INSTITUTO DE APOIO E DEFESA ANIMAL VANESSA MESQUITA (PET VAN)

O instinto nasceu depois de anos de luta como protetora sozinha e independente. Oficialmente, ajudo animais abandonados desde os meus dezessete anos. Após a minha participação em um reality show no qual sai como campeã, o Big Brother Brasil, precisava formalizar meu projeto e assim nasceu o Instituto de Apoio e Defesa Animal Vanessa Mesquita, mais conhecido como Pet Van.

Mantê-lo é um grande desafio. Somos poucos e fazemos tudo pelo amor aos animais, pois cada dia temos uma nova batalha. Juntos organizamos os eventos de adoção, fazemos os atendimentos, organizamos as divulgações – hoje realizadas fortemente nas redes sociais. Aproveito para deixar aqui o meu abraço e agradecimento aos colaboradores diretos e indiretos de todos esses anos de luta.

Assim como a medicina veterinária na área de Bem Estar Animal, o instituto defende a garantia de condições básicas de saúde animal e se baseia nos seguintes pilares de liberdade animal:

1- livres de medo e estresse;
2- livres de fome e sede;
3- livres de desconforto;
4- livres de dor e doenças;
5- livres para expressar seu comportamento natural.

Nosso trabalho diário, na prática, consiste em: resgatar animais em situação de vulnerabilidade, castrar animais de pessoas sem condições de pagar, conscientizar a população sobre cuidados e maus tratos e doar animais de forma consciente e responsável.

Cuidamos da saúde deles na minha própria clínica com a veterinária responsável da ONG. Temos a disposição um espaço parceiro de hotel para cães, onde eles são cuidados e reabilitados. Lá também existe um serviço veterinário que pagamos. A maioria dos gatos utilizam a minha própria casa como lar temporário, e os eventos de adoção são realizados em parceria com a Petz, uma grande rede de Pet shop em São Paulo.

Todos os nossos contatos são on-line. Mesmo com todas as tarefas do dia, faço questão de ler e responder todas as mensagens recebidas diretamente nas redes, sem intermediários.

Para doar, entre em contato e utilize os dados bancários abaixo desta página. Para apadrinhar algum animal ou doar de forma geral, favor encaminhar a informação por e-mail. É importante para prestação de contas.

Para ser voluntário, basta entrar em contato por Instagram. Realizamos uma entrevista e organizamos a participação nos eventos de doação conforme disponibilidade.

Você pode doar por depósito ou transferência bancária.

CAIXA ECONÔMICA FEDERAL
AGÊNCIA 0273
C/P 177415/5
OPERAÇÃO 013

INSTITUTO DE APOIO E DEFESA ANIMAL VANESSA MESQUITA
CNPJ 27.016.059/0001-24

E-mail: projetopetvan@gmail.com
Instagram: @institutopetvan
Facebook: Instituto Pet Van

Livros para mudar o mundo. O seu mundo.

Para conhecer os nossos próximos lançamentos
e títulos disponíveis, acesse:

🌐 www.**citadel**.com.br

f /citadeleditora

📷 @citadeleditora

🐦 @citadeleditora

▶ Citadel - Grupo Editorial

Para mais informações ou dúvidas sobre a obra,
entre em contato conosco através do e-mail:

✉ contato@**citadel**.com.br